tout compris 2

William Rowlinson
Senior Lecturer in Education
Sheffield University

Oxford University Press

Oxford University Press, Walton Street, Oxford OX2 6DP

London Glasgow New York Toronto
Delhi Bombay Calcutta Madras Karachi
Nairobi Dar es Salaam Cape Town Salisbury
Kuala Lumpur Singapore Hong Kong Tokyo
Melbourne Auckland
and associates in
Beirut Berlin Ibadan Mexico City Nicosia

First published 1980
Reprinted 1982, 1983

tout compris is complete in two parts. Each part comprises:
pupil's book
teacher's edition
reader pack
presentation tape/cassette

Filmset in 'Monophoto' Ehrhardt 11 on 13 pt. by
Eta Services (Typesetters) Ltd, Common Lane North, Beccles,
Suffolk
and printed in Hong Kong.

preface

This is the second and final part of a two-part French course leading to O level or an equivalent standard. It comprises textbook, reader pack and cassette/tape; the textbooks and readers alone may be used if a tape recorder is not available.

Part two continues the flexible approach of part one, with a fundamental grammatical syllabus, plus situation and language-function helping to determine content. The grammatical sequence of book two starts with a thorough revision and extension of the perfect, then moves on to the imperfect and the past historic. The future is only then introduced: this is because of the relatively greater frequency of the misnamed 'immediate future' (*aller* + infinitive), which was introduced in part one and has been much practised. The last three units in the book have a simplified and (it is hoped) non-frightening approach to the subjunctive. Some teachers may wish to omit this from a basic course, but the subjunctive is so much a living part of everyday French that it seems unwise to neglect it altogether.

Pairwork continues, as in part one, and is developed. The 'pairtalk' exercises develop the face-to-face exchange of language: with the pupils' growing command of the language the situations in which pairwork is used have been opened out, less class preparation should be necessary and the aim, in this type of exercise, should now be fluency above all, with accuracy hoped for, but subordinated if necessary to fluency.

All four basic language skills — aural comprehension, speaking, reading, writing — are covered, as is translation. Even more than with part one it is up to the individual teacher to select the material he or she will use, to decide what to ignore and what to stress, in the light of his own priorities and the examination syllabus he is following. The past historic, for instance, is first introduced for comprehension only, then later used actively. The teacher who wishes to teach it for comprehension only can easily ignore the active-use material. However, no exercises have been included simply because they appear in this or that syllabus — they are all there in their own right as teaching tools.

There are 45 units in part two. As in part one they do not follow a set pattern — this is for the sake of variety and interest. Every third or fourth lesson formalizes the grammar of the last two or three and provides revision exercises, a list of the most important new vocabulary covered and vocabulary extension exercises. The exercises in the revision units are mainly intended to be written, though many of them can be used orally and some for pairwork.

The teacher's notes form a separate section of the teacher's edition, which is then followed by the text of the pupil's book. The notes explain briefly the point of each exercise and include suggestions for exploitation of the material. Again it should be stressed that these are not prescriptive and the teacher should choose and adapt on the basis of his pupils' needs. In particular it should be noted that not all activities indicated as suitable for writing need be written.

The reader pack for part two should be introduced from unit 14 on. If time allows, one period per week or per fortnight should be devoted to the important skill of silent reading. The readers in the pack are set mainly in the French provinces and are all at the same level of language difficulty, so that pupils can read them in any order. In vocabulary and structure they are dovetailed with the course, and as well as reinforcing vocabulary they extend it into areas not covered by the textbook. Fuller details and suggestions for further exploitation are included at the end of the teaching-notes section of the teacher's edition of book two.

As with part one, much French background material is included *en passant*, with many starting points for the teacher to develop situation work, and a good deal of work on 'public notice' French. The photographs have been taken with their civilisation or language content in mind, and real everyday printed French material is included where appropriate.

The tape/cassette to part two is entirely of presentation material. Many of the pattern exercises in the coursebook can, however, be easily recorded by the teacher — or preferably, the French *assistant* — and used as lab drills if these are required.

The following signs are used in the text: material appearing on the presentation tape; material suitable for pairwork. The numbers in the French–English vocabulary at the end of the textbook refer to the unit in which a French word in a particular meaning is first introduced.

W. R.
Sheffield, April 1979

Acknowledgements

The author wishes to thank Nicole and Jean-Pierre Rueg for their precise critical reading of the manuscript, and David Smith, Head of Modern Languages at Ecclesfield Comprehensive School, Sheffield, for his stimulating suggestions and constructive advice. The author would also like to thank the Oxford University Press production team for their continuing help and encouragement.

Illustrations are by Peter Edwards.

Photographs are by:
J. Allan Cash Limited: p. 155 bottom; Crédit Lyonnais: p. 109; French Government Tourist Office: p. 155 top; Cap Roget-Viollet: p. 95; Ronald Sheridan: p. 154, p. 156 top; Thomas Wilkie, F.R.P.S., A.I.I.B.: p. 156 bottom.

All other photographs are by the author.

contents

unit 1

La moto

« C'est à toi, la moto? Tu l'as achetée?
— Mais bien sûr, elle est à moi, dit Bernard. Et je l'ai achetée moi-même. J'ai fait des économies. »
Brigitte en est assez impressionnée. « C'est la première fois que je la vois.
— Ah oui, sans doute. Je l'ai achetée hier. C'est Michel Lebrun qui me l'a vendue.
— Ah, elle n'est pas neuve alors? Elle en a l'air quand même.
— Oui, il l'a très bien soignée. Tu veux faire un petit tour?
— C'est dangereux sans casque — tu ne crois pas?
— Un tout petit tour . . . qu'est-ce qui peut arriver? Tu n'as pas peur? »

la moto motorcycle
faire des économies save up
soigner look after
le tour ride
le casque helmet
arriver happen

Brigitte monte derrière Bernard, non sans hésiter encore un peu. La moto démarre en sursaut.
« Tu sais conduire, Bernard?
— Si je sais conduire! J'ai eu une mobylette dès quatorze ans.
— Mais une moto, c'est différent! Attention au coin!
— Ne t'en fais pas! Tu n'as jamais roulé à moto?

démarrer start
en sursaut with a jerk
conduire drive
la mobylette motorised bicycle
dès as long ago as
ne t'en fais pas don't worry
rouler travel

— Non, c'est la première fois, et j'en ai assez! Arrête! Laisse-moi descendre!

— Bon, si tu veux. » Bernard arrête la moto, ~~pas trop~~ doucement, et Brigitte en descend. « Tu ne l'as pas trouvé amusant, ton premier voyage à moto?

— Pas trop, dit Brigitte. Tu as toujours ta mobylette?

— Mais non, je l'ai vendue au petit frère de Michel.

laisser let
doucement gently

— Regarde, dit-il, et il emballe le moteur. Je vais te montrer ce qu'elle peut faire, ma moto! » Et il démarre.

En France, la priorité est toujours à droite. Ainsi c'est la camionnette du boucher, Constant Lebrun, qui a la priorité, même quand elle sort de la petite rue du Moulin dans la grand-rue. Mais Bernard avec sa nouvelle moto ne lui cède pas la priorité. Le bruit de la collision est formidable.

emballer rev
montrer show
ainsi so
la camionnette van
lui to him
céder la priorité give way
le bruit noise

« Mais bon Dieu, qu'est-ce que tu as fait? Regarde ma camionnette! Regarde le capot, regarde le pare-brise! » C'est Monsieur Lebrun — tout rouge — qui parle. Il est descendu de la camionnette, suivi de ses deux fils.

« Regardez ma moto! dit Bernard.

— C'est la moto que je t'ai vendue? dit Michel. Vraiment? Je ne la reconnais plus!

le capot bonnet
le pare-brise windscreen
reconnaître recognize

— Moi non plus, dit Brigitte qui arrive. Tu as eu un accident, Bernard?

— Mais non, je l'ai fait exprès! dit Bernard ironiquement. Je veux être marchand de ferraille!

— Tu veux me racheter la mobylette? dit le fils cadet de Monsieur Lebrun.

— Tu as des idées, toi, dit Monsieur Lebrun. D'abord il faut qu'il paie mon capot et mon pare-brise!

— Je crois que tu vas commencer ta carrière de marchand de ferraille à pied », dit Brigitte.

le marchand de ferraille scrap dealer
racheter buy back
cadet younger
d'abord first
la carrière career

Deux conducteurs

Qui a eu raison?
Qui a eu tort?

Pierre a eu ......
Anne a eu ......

Pierre	Panneau	Anne
Pierre a cédé la priorité.		Anne n'a pas cédé la priorité.
Pierre ne s'est pas arrêté.	HALTE GENDARMERIE	Anne s'est arrêtée.
Pierre est entré dans la rue.		Anne n'est pas entrée dans la rue.
Pierre n'a pas doublé.		Anne a doublé.
Pierre a dit: « Les motos sont interdites. »		Anne a dit: « Les motos ne sont pas interdites. »
Pierre a roulé lentement.		Anne a roulé vite.
Pierre a dit: « J'ai la priorité. »		Anne a dit: « Je n'ai plus la priorité. »
Pierre a tourné à gauche.		Anne n'a pas tourné à gauche.

Je l'ai fait hier

Tu as acheté une moto?
— Oui, je l'ai achetée hier.

Tu as trouvé ta montre?
Tu as fini la peinture?
Tu as vendu ta voiture?
Tu as lavé ma chemise?

Et ça, je l'ai fait ce matin

Tu as perdu tes chaussettes?
— Oui, je les ai perdues ce matin.

Tu as mangé les œufs?
Tu as vu mes parents?
Tu as installé les lampes?
Tu as écouté ces disques?

Isn't it obvious which I mean?

De quelles chaussures parles-tu enfin?
— Des chaussures que tu as mises hier!

Et de quel 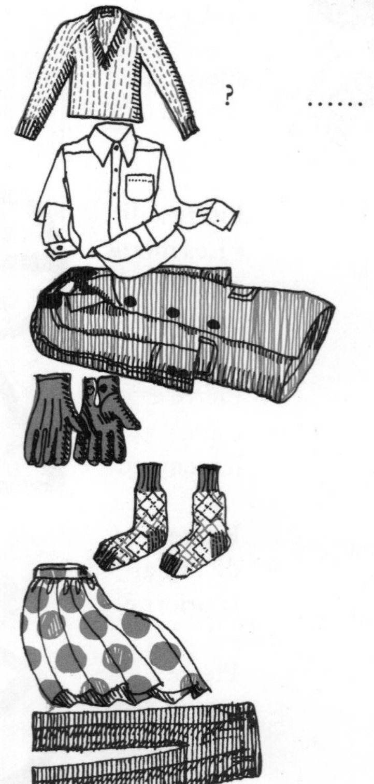 ? ......

lundi!

la semaine dernière!

ce matin!

dimanche!

vendredi!

cet après-midi!

jeudi!

En d'autres mots…
Trouvez dans le texte

Il est nécessaire que
— Il faut que

Le plus jeune frère
Partir à moto ou en voiture

L'homme qui vend de la viande
Une bicyclette à moteur
Ce qu'on met pour rouler à moto
Mettre son argent à la banque
Acheter quelque chose qu'on a vendu

Répondez!

Récapitulez!

A qui est la moto? Il l'a achetée? Quand? Quelle est la réaction de Brigitte? Qui a vendu la moto? Qu'est-ce qu'il suggère, Bernard?

faire des économies — impressionner — soigner — le tour — le casque — arriver

Que fait Brigitte? Quelle question pose-t-elle à Bernard? Pourquoi? Quelle est sa réponse?

démarrer en sursaut — conduire — la mobylette — dès — ne t'en fais pas — rouler

Pourquoi Brigitte descend? Comment a-t-elle trouvé son premier voyage à moto? Qu'est-ce que Bernard a fait de sa mobylette?

en avoir assez — laisse-moi — doucement

Pourquoi Bernard démarre-t-il? A qui est la camionnette? Qui a la priorité, la camionnette ou Bernard? Pourquoi? Qu'est-ce qui arrive?

emballer — le moteur — montrer — la grand-rue — lui céder la priorité — le bruit

Qui descend de la camionnette? Qu'est-ce qui est cassé à la camionnette? Est-ce que Michel reconnaît la moto?

le capot — le pare-brise — reconnu

Brigitte pose quelle question? Quelle est la réponse de Bernard? Quelle est la suggestion du petit Lebrun? Pourquoi? Que dit Brigitte enfin?

le marchand de ferraille — racheter — cadet — d'abord — la carrière

unit 2

Le rendez-vous

J'ai pensé à toi chaque minute.
J'ai rappelé notre joyeuse semaine, nos fous rires. Et nos adieux et notre unique baiser.
J'ai parlé de toi à tous mes amis.
J'ai écrit chaque semaine.
J'ai voulu te revoir, avec les autres, avec tous les autres: Denise qui parle sans cesse, Jean-Pierre avec sa guitare, Yves, Michèle ma préférée.
J'ai proposé une journée à Paris: un bateau-mouche sur la Seine, les tours de Notre-Dame, un café sur le Boul' Mich', les poissons rouges dans le bassin du jardin des Tuileries.
Et avec les autres, avec tous les autres, pour qu'ils voient notre bonheur!
J'ai donné rendez-vous à tout le monde à la gare du Nord, face aux grandes lignes, devant le kiosque à journaux, pour dix heures onze (sauf imprévu).
A toi et aux autres, à tous les autres.
Je suis arrivée en avance. Je suis sortie du Métro, j'ai couru comme une folle. Je t'ai cherché des yeux (mais non, voyons, il n'est que neuf heures et demie!).
J'ai attendu. Ç'a été long. J'ai regardé les journaux, les revues, Paris Match, le Figaro, l'Équipe. Et un clochard endormi, qui a ronflé.
Et puis vous êtes tous arrivés. A dix heures onze précises.
C'est d'abord les autres que j'ai reconnus: Denise qui parle, Jean-Pierre avec sa guitare, Yves, et Michèle qui m'a embrassée.
Et derrière Michèle, toi.
Tu as souri. Tu as tendu la main. Tu as parlé du temps. Et tu es parti avec Michèle, bras dessus bras dessous.
« Tu viens? » a dit Yves.
J'ai regardé les journaux, les revues, Paris Match, le Figaro, l'Équipe. Et le clochard endormi.
Et j'ai dit, « Oui, Yves, je viens. »

rappeler recall
fou (f: **folle**) mad, uncontrollable
le baiser kiss
sans cesse without stopping
le (la) préféré(e) favourite (person)
le bateau-mouche riverboat
le poisson rouge goldfish
pour que so that
le bonheur happiness
face à opposite
les grandes lignes main lines
sauf imprévu barring accidents
en avance early
courir run
ç'a été it was
le clochard tramp
endormi asleep
ronfler snore
précis exactly
tendre hold out
bras dessus bras dessous arm in arm

L'héroïne et le héros de notre histoire s'appellent Anne et Paul.

Est-ce qu'Anne a beaucoup pensé à Paul?
~~Qu'est-ce qu'elle a rappelé?~~ De quoi s'est-elle rappelé?
Combien de fois par mois a-t-elle écrit?
Pourquoi a-t-elle voulu le revoir avec les autres?
Qui sont les autres?
Qu'est-ce qu'Anne a proposé? Où a-t-elle donné rendez-vous?
Dans quelle partie de la gare?
A quelle heure est-elle arrivée? Est-elle arrivée en train?
Qu'est-ce qu'elle a fait ensuite? Qu'est-ce qu'elle a regardé?
A quelle heure sont-ils tous arrivés?
Qu'est-ce que Michèle a fait quand elle est arrivée?
Qu'est-ce que Paul a fait?
Avec qui est-il parti?
Qu'est-ce qu'Anne a fait?

Voici des réponses: formez des questions avec « quel »

Elle a rappelé cette semaine joyeuse.
— Quelle semaine a-t-elle rappelée?

Elle a rappelé leurs fous rires.
— Quels ......

Elle a rappelé leur unique baiser.
Elle a proposé la journée à Paris.
Elle a regardé le Figaro et l'Équipe.
Elle a regardé le clochard endormi.
Il a tendu la main droite.

Retell the story in the third person, beginning: Anne a beaucoup pensé à Paul . . .

Pairtalk

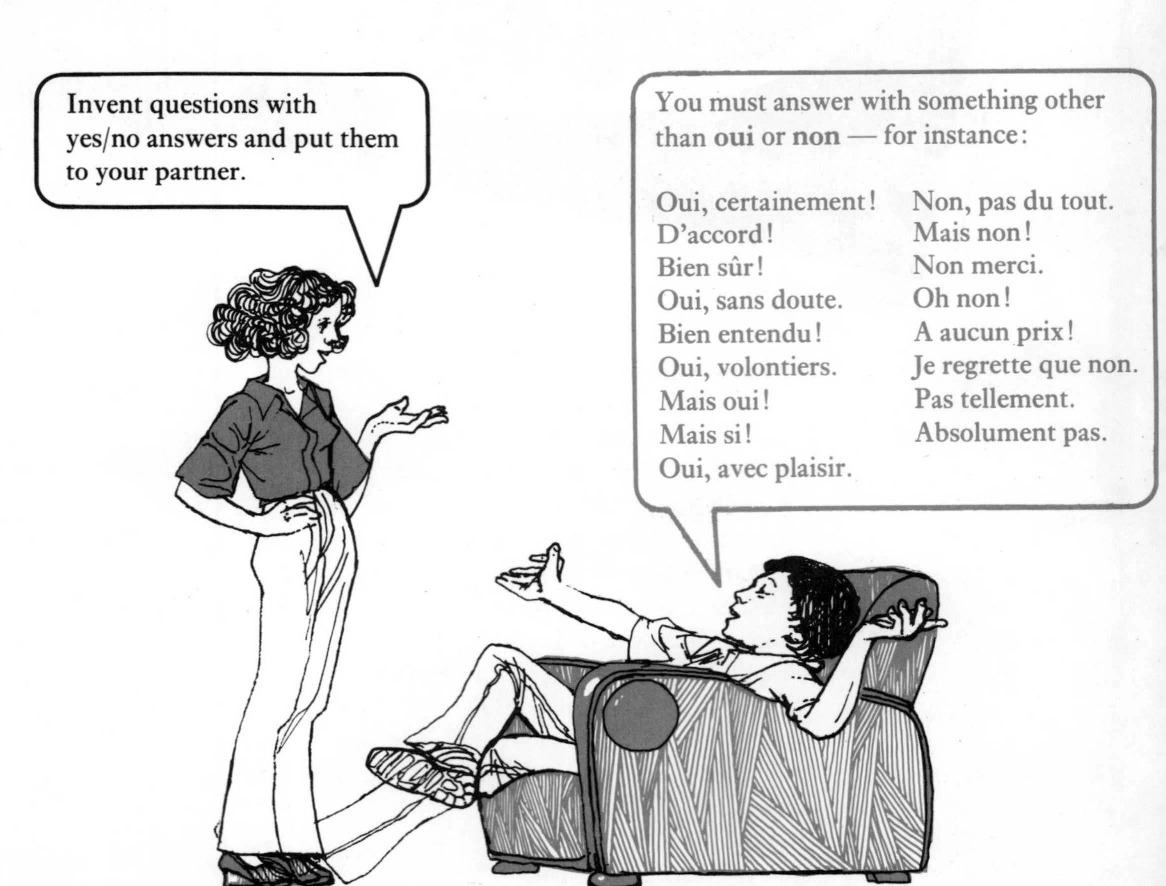

unit 3 revision

Grammar

1 La moto? Je **l'**ai achetée hier.
Michèle **m'**a embrassée.

In perfects formed with **avoir** the past participle agrees with the direct object, if this precedes the verb. The most common example is the one illustrated above, where the object is a pronoun. But it also occurs in questions with **quel**:

Quels journaux ont-elles regardés?

and in relative clauses beginning with **que**:

Les chaussures que tu as mises hier.
This is not a very important rule in spoken French, since the agreement is only heard with a very few verbs (like **mettre** in the example above).

2 Note the new irregular past participles we have met:

avoir:	il a **eu**
être:	il a **été**
vouloir:	il a **voulu**
courir:	il a **couru**
reconnaître:	il a **reconnu**
suivre:	il a **suivi**

3 Brigitte est impressionnée . . . *is impressed*
Un clochard endormi . . . *asleep*

Past participles can be used as adjectives in French just as they can in English. So notice the difference between **elle m'a impressionné** and **elle est impressionnée**.

a Complete with perfects

J' ...... te revoir. J'	vouloir; boire
mon café très vite, j' ...... mon	mettre
imperméable et j' ...... jusqu'à la	courir
gare. Et là je t' ...... Tu	reconnaître; prendre
mon bras et tu ...... J' ......, « Tu	sourire; dire
n' .. pas ...... »; et puis j'	écrire; voir
ta pauvre main. « Mais tu ...... un	avoir
accident? Ça alors! Qu'est-ce	
que tu ...... ? » Et toi, tu ...... d'une	faire; répondre
voix courageuse, « Oh, ce n'est	
rien. Je n' .. pas beaucoup...... »	souffrir

le tour trip; run
le voyage trip
le moteur engine
le bruit noise
le marchand dealer
le conducteur driver
le rire laugh(ter)
le baiser kiss
le bateau boat
le poisson fish
le bassin pool
le jardin garden
le bonheur happiness
le clochard tramp
le plaisir pleasure

la moto motorbike
la camionnette van
la carrière career
la chaussée roadway
la fin end
la peinture painting
la réponse answer
la promenade walk
la journée day

faire des économies save up
soigner look after
arriver happen
conduire drive
rouler travel
laisser let
montrer show
céder give (way)
reconnaître recognize
racheter buy back
doubler overtake
tourner turn
suggérer suggest
poser put; ask (*question*)
casser break
rappeler recall
courir run
ronfler snore
tendre hold out

ne t'en fais pas don't worry
j'en ai assez I've had enough
en sursaut with a jerk

b Alice is sixty and her mother is eighty, but they still go to the seaside. Alice is telling us what they always do. Rewrite her account to tell what they did yesterday. Begin:

Maman et moi, nous nous sommes l . . .

Maman et moi, nous nous levons à six heures et demie. Nous prenons une douche[1] froide et faisons nos exercices de gymnastique. Nous prenons notre petit déjeuner à neuf heures, puis nous sortons pour descendre à la plage. Nous nous promenons près de la mer pendant au moins deux heures et demie. Nous revenons à l'hôtel vers midi et demi et nous déjeunons à une heure. Nous mangeons un grand repas[2] et nous buvons deux bouteilles de vin blanc. L'après-midi nous nous reposons[3] pendant une demi-heure et puis nous allons en ville. Nous entrons dans beaucoup de magasins, mais nous n'achetons rien. Nous retournons à l'hôtel à six heures et nous jouons au bridge. Nous dînons à huit. Ensuite nous allons à la discothèque et nous dansons jusqu'à onze heures. Puis nous rentrons à l'hôtel et nous écoutons la radio jusqu'à une heure du matin. Et à une heure nous nous couchons.[4]

[1] la douche, *shower* [2] le repas, *meal* [3] se reposer, *rest* [4] se coucher, *go to bed*

doucement gently
cadet younger
d'abord firstly
dernier last
au sujet de about
fou (f: **folle**) mad
sans cesse endlessly
ainsi so; thus
face à opposite
sauf except (for)
imprévu unexpected
en avance early
endormi asleep
bien entendu of course
volontiers gladly

c Répondez **oui** ou **non**

Vous avez vu les journaux?	Oui, je les ai v ......
Vous avez vendu votre moto?	Non, ...
Vous avez cassé le pare-brise?	Oui
Vous avez bu la bière?	Non
Vous avez trouvé les enfants?	Oui
Vous avez reconnu ma sœur?	Non
Vous avez acheté vos chaussures?	Oui
Vous avez ouvert la fenêtre?	Non

d Put into the perfect

Quelle jupe mets-tu?
Quelles places choisissez-vous?
Quelle valise porte-t-elle?
Quelle lampe allume-t-il?
Quel cadeau apportes-tu?
Quelle viande commandes-tu?
Quels trains prenez-vous?
Quel prix payent-ils?

e Translate

'Have you seen my new[1] motorbike? It's in the garage.'
'No I haven't![2] When did you buy[1] it?'
'Yesterday, in[3] town. Do you want to see it?'
'Oh yes, of course.'
'Well,[4] there it is!'
'It's nice[1]! *I've*[5] never been on a[6] motorbike.'
'Right[7], come on! I'm going to show you what it can do!'

[1] *agreement?* [2] mais non [3] *not* dans la [4] eh bien [5] moi, je . . . [6] roulé à [7] alors

VOCABULAIRE EXTRA

La maison

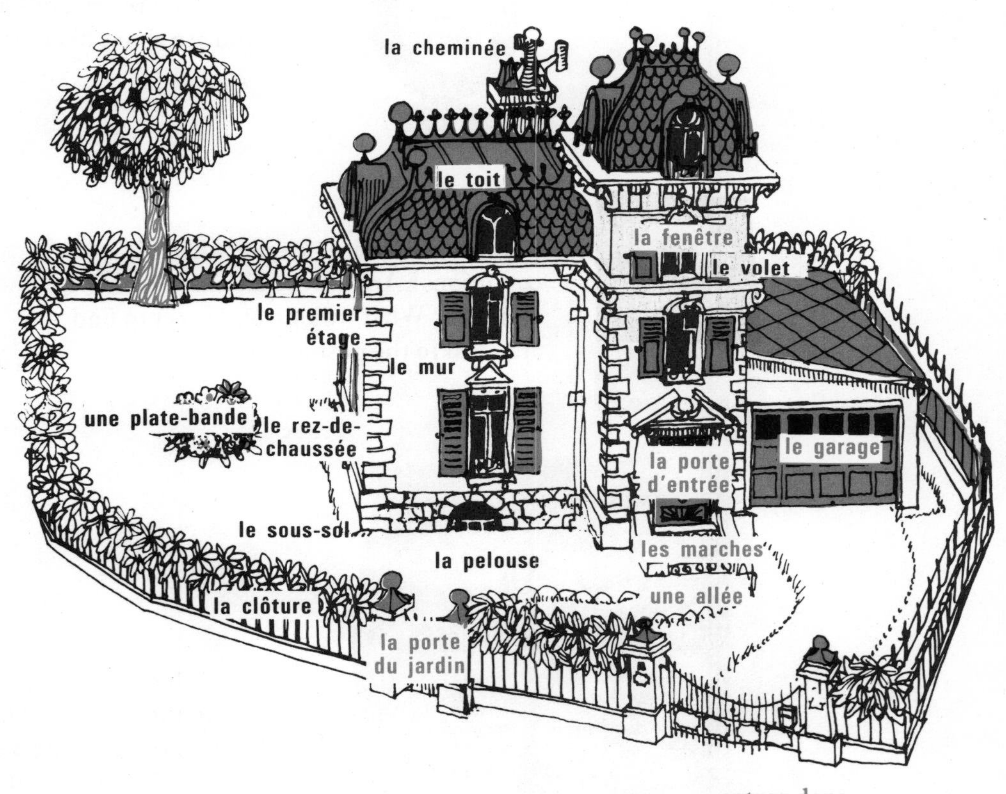

entrer dans
sortir de
monter
sortir la voiture *take out*
faire du jardinage *gardening*
nettoyer les fenêtres *clean*
fermer la porte à clef *lock*

unit 4

Stationnement interdit

Léger is light, **un port de plaisance** is a yachting marina, **réglementé** means controlled and **une voie** is a traffic lane. Guessing intelligently other words you don't know, answer these questions on the photographs.

What can you not do here?

What parking restrictions are there in the area you are about to enter — if any?

Can you park here? Under what conditions? Are the conditions the same at all times? What would you expect to find attached to the post lower down?

What is this? What is the French word for it (it's in the picture)? How many vehicles does it serve? Where do you put your money in? What coins does it take? What do you get for each of them? What time limit is imposed? During what periods do you not have to pay?

What does this sign indicate?

Is this a bus stop? What does the sign tell you?

Can you leave your Renault 16 here?

Who can park here?

Encore une contravention

« On m'a dressé une contravention ! crie Monsieur Garnier dans le vestibule.

— Ah mais non, chéri ! dit Madame Garnier.

— Mais si ! » Monsieur Garnier entre dans le séjour et pose sa serviette sur le bureau.

« C'est la troisième contravention qu'on lui a dressée cette semaine ! » C'est le petit Marc Garnier qui parle.

« Mais non, la deuxième. Mais comme c'est idiot !

— Qu'est-ce qui est arrivé, chéri ? » demande Madame Garnier. Elle regarde le feuillet blanc que son mari lui tend.

« Stationnement sans disque dans la zone bleue. Mais je n'ai

dresser une contravention give a parking ticket

la serviette briefcase
le bureau desk

le feuillet form; slip

pas pu le trouver. Je l'ai cherché partout dans la voiture. Et puis mon rendez-vous, tu sais, avec le président de la banque . . . Bref, j'ai laissé la voiture pendant une heure seulement, en zone bleue, sans disque.

laisser leave

— Tu n'as pas pu trouver ton disque lundi non plus! dit Marc. C'est pour ça qu'on t'a donné ta première contravention!

— Tais-toi Marc, je parle à ta mère. Eh bien, là devant la banque il y a deux pervenches avec un agent qui leur parle. Je me dis: si elles sont ici, elles ne sont pas près de ma voiture! Je leur ai souri et j'ai pris la rue Scribe. Et qu'est-ce que j'ai vu?

se taire be quiet

— Une troisième pervenche.

— Ben oui, tu as raison, une troisième. Et elle m'a dressé une contravention.

ben oui why yes

— Quelle triste histoire! rigole Marc.

rigoler laugh

— J'ai cherché partout, dans la voiture encore une fois et tout à l'heure dans le garage, mais ce sacré disque est introuvable.

encore une fois yet again
tout à l'heure just now
sacré damn

— Ah oui, le disque, chéri. Eh bien, voilà le disque. » Et Madame Garnier ouvre le tiroir du bureau, va à son mari et lui donne le disque. Et elle lui sourit. Un sourire désarmant.

« Mais . . . où l'as tu trouvé, chérie?

— Le disque? Ah, je l'ai trouvé hier.

— Oui, hier, mais où, où?

— Où, chéri? Eh bien . . . euh . . . je l'ai trouvé . . . dans mon sac à main. »

le sac à main handbag

Que dit Monsieur Garnier quand il entre dans l'appartement?
Où pose-t-il sa serviette?
Que répond Marc?
Est-ce que c'est en effet la troisième contravention?
Quel feuillet regarde Madame Garnier?
Qu'est-ce qu'il a fait, Monsieur Garnier, dans la rue Scribe?
Est-ce qu'il a pu trouver son disque?
Pendant combien de temps a-t-il laissé la voiture?
Quelles femmes a-t-il vues devant la banque? Et l'agent, qu'a-t-il fait?
Qu'est-ce qu'il a pensé, monsieur Garnier?
Qu'est-ce qu'il a fait?
Qui a-t-il vu dans la rue Scribe?
Qu'est-ce qu'elle a fait?
Où a-t-il cherché son disque ensuite?
Où est le disque maintenant?
Qui l'a trouvé?
Où l'a-t-elle trouvé?

Cadeaux de Noël

Et Jean-Pierre? — Jean-Pierre? Je lui donne une bicyclette.

le bébé
ta sœur Caroline
maman
l'oncle Jules
grand-mère
ton petit frère
ton amie Claire
grand-père

Pas du tout!

You are M. Garnier. Contradict these questions

Vous avez reçu une bonne surprise?
— Non, j'ai eu une contravention!

Vous avez eu trois contraventions?
Vous avez utilisé votre disque?
Vous l'avez trouvé dans la voiture?
Vous avez rencontré le secrétaire de la banque?
Vous avez parlé avec l'agent?
Vous avez remarqué la troisième pervenche?
Vous avez été content de votre femme?

Here is a real parking ticket. It comes in two parts, a white slip and a postcard. Imagine you have found it on your car in Paris, and work out what you have to do.

CONTRAVENTION le 15-04-1977 à 09H40 N° 6367004

CONTRAVENT AU STATIONNEMT

INTERDIT MATÉRIALISÉ	01
UNILATÉRAL NON OBSERVÉ MATÉRIALISÉ	02
DOUBLE FILE	50
ARRET AUTOBUS	51
STATION DE TAXIS	52
PASSAGE CLOUTÉ	53
SUR TROTTOIR	54
PROLONGÉ DE PLUS D'UNE HEURE	03
DÉFAUT DE DISQUE	X

Agent : 7748 Service 68
Lieu : 03 Rue des Moulins 03 Paris 01
Motif : Zone bleue

Collez ici la partie du timbre amende a conserver pour justification de votre paiement.

NATURE DE LA VOIE: 1

MARQUE 604

RENAULT 1	CITROËN 2	PEUGEOT 3	SIMCA CHRYSLER 4
FIAT 5	OPEL 6	FORD 7	AUTRES 8

IMMATRICULATION

CHIFFRES				LETTRES			DÉPARTEMENT		
S	M	J	4	6	6	R			

Pour le règlement de cette contravention, suivez les indications portées dans la notice numéro 2

70.0001/10 A - 3-75

Ce volet doit être conservé par le contrevenant.

le lieu place
le défaut lack
matérialisé posted (on a road sign)
le passage clouté pedestrian crossing
l'amende (f) fine
à conserver to be kept

Where was the car illegally parked?
What is special about this street?
What should the car have had that it didn't have?
Name as many other possible parking offences as you can which could have been indicated with a cross on this ticket.
What make of car was it?
What does *immatriculation* mean?
What has to be done in the top right-hand corner of this form?

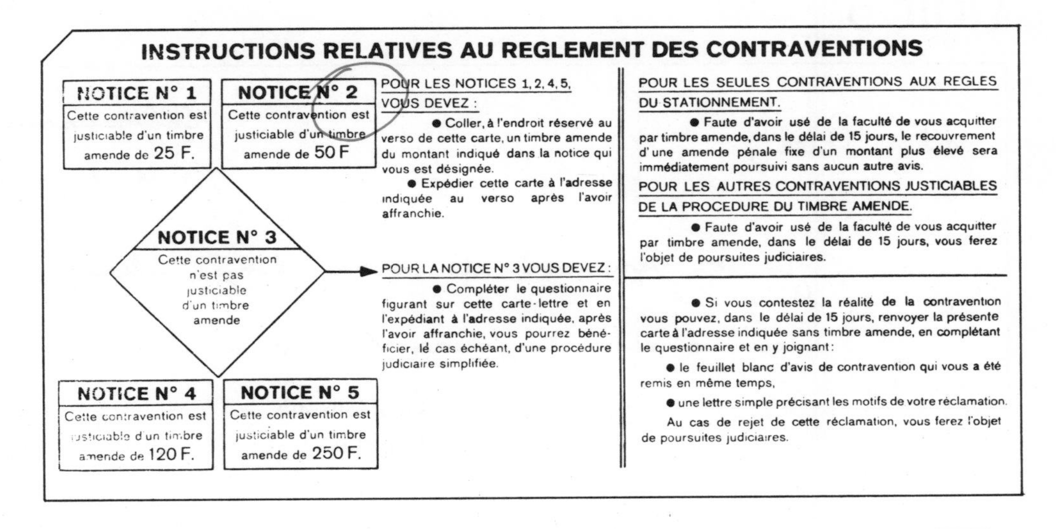

INSTRUCTIONS RELATIVES AU REGLEMENT DES CONTRAVENTIONS

NOTICE N° 1
Cette contravention est justiciable d'un timbre amende de 25 F.

NOTICE N° 2
Cette contravention est justiciable d'un timbre amende de 50 F

NOTICE N° 3
Cette contravention n'est pas justiciable d'un timbre amende

NOTICE N° 4
Cette contravention est justiciable d'un timbre amende de 120 F.

NOTICE N° 5
Cette contravention est justiciable d'un timbre amende de 250 F.

POUR LES NOTICES 1, 2, 4, 5, VOUS DEVEZ :

● Coller, à l'endroit réservé au verso de cette carte, un timbre amende du montant indiqué dans la notice qui vous est désignée.

● Expédier cette carte à l'adresse indiquée au verso après l'avoir affranchie.

POUR LA NOTICE N° 3 VOUS DEVEZ :

● Compléter le questionnaire figurant sur cette carte-lettre et en l'expédiant à l'adresse indiquée, après l'avoir affranchie, vous pourrez bénéficier, le cas échéant, d'une procédure judiciaire simplifiée.

POUR LES SEULES CONTRAVENTIONS AUX REGLES DU STATIONNEMENT.

● Faute d'avoir usé de la faculté de vous acquitter par timbre amende, dans le délai de 15 jours, le recouvrement d'une amende pénale fixe d'un montant plus élevé sera immédiatement poursuivi sans aucun autre avis.

POUR LES AUTRES CONTRAVENTIONS JUSTICIABLES DE LA PROCEDURE DU TIMBRE AMENDE.

● Faute d'avoir usé de la faculté de vous acquitter par timbre amende, dans le délai de 15 jours, vous ferez l'objet de poursuites judiciaires.

● Si vous contestez la réalité de la contravention vous pouvez, dans le délai de 15 jours, renvoyer la présente carte à l'adresse indiquée sans timbre amende, en complétant le questionnaire et en y joignant :

● le feuillet blanc d'avis de contravention qui vous a été remis en même temps,

● une lettre simple précisant les motifs de votre réclamation.

Au cas de rejet de cette réclamation, vous ferez l'objet de poursuites judiciaires.

SMJ466R
CHIFFRES | LETTRES | DÉPARTEMENT
IMMATRICULATION

68
ARRONDISSEMENT

DATE 15 04
JOUR MOIS

N° 6367004

CONTREVENANT :
Nom et prénoms — Sexe
Nom de jeune fille
Né(e) le à Code Dépt
Adresse
Code Dépt
Profession
Permis N° délivré le à

TITULAIRE de la carte grise :
Nom et prénoms ou Raison sociale — Sexe
Nom de jeune fille
Né(e) le à Code Dépt
Adresse
Code Dépt
Profession
Permis N° délivré le à

Emplacement réservé au Timbre Amende

Timbre Poste
Tarif lettre
Pli urgent

70.0001/10 3 75

DESTINATAIRE : M. LE PREFET DE POLICE
Police Municipale – Contraventions.
Ile de la Cité 75195 PARIS RP

*6367004

What is the appropriate fine?
How is it to be paid?
Who is the card then sent to?
Has the offender got off lightly, do you think?

justiciable de subject to
en verso on the other side
le montant sum
désigner assign
affranchir stamp

Pairtalk

Ask questions about things your partner may like or dislike.
Use tu aimes . . . ?
tu préfères . . . ?
tu n'aimes pas . . . ?

Answer for instance, depending on whether you like the things or not: c'est . . .

pas mal	moche
bien	horrible
magnifique	affreux
extra	très désagréable
super	dégoûtant

unit 5

Châteauroux
le 7 juin.

Cher Peter,

Je m'excuse de mon long silence, mais ici c'est toujours le même problème:

Châteauroux
le 7 juin

Cher Peter,

Je m'excuse de mon long silence, mais ici c'est toujours le même problème: la famille. Comme tu sais, c'est la famille des désastres. Mon père, ma mère, mon frère, mes sœurs, tous. Figure-toi ce qui leur est arrivé pendant ce mois dernier.

D'abord Félice — ma sœur aînée, comme tu sais. Elle est sténodactylo dans une entreprise ici à Châteauroux. Bon, il paraît qu'il y a une lampe sur son bureau. La lampe a toujours été là, elle sait bien que la lampe est là. Mais il y a quatre semaines elle a renversé cet objet. La lampe est tombée sur son pied, et étant lourde, ça lui a fait mal. Bon, elle s'est assise. Sur sa chaise? Non, notre chère Félice n'a pas remarqué l'absence de sa chaise. Alors elle aussi est tombée, et en tombant elle a entraîné sa machine à écrire, qui s'est cassée. Le montant des dégâts: 900 francs.

se figurer imagine
aîné eldest
le (la) sténodactylo shorthand typist
paraître appear
renverser knock over
lourd heavy
faire mal à hurt
entraîner drag (down)
la machine à écrire typewriter
les dégâts damage

Ça, ce n'est que le commencement. La semaine suivante papa a eu un petit accident avec la Peugeot. Il paraît que la porte du garage est trop étroite — du moins, la voiture a eu une petite collision en entrant dans le garage — avec papa au volant. Pas grand-chose: le capot et le pare-brise. Cela n'a coûté que mille francs.

étroit narrow
du moins anyway
le volant steering wheel
mille one thousand

Le lundi suivant, en quittant la salle de bain, maman a déchiré sa robe à la poignée de la porte. Oui, tu as bien deviné — c'est sa robe neuve. Deux cent cinquante francs: rien, une bagatelle. Mardi le chien et le chat ont tous les deux commencé à vomir en mangeant. Le vétérinaire leur a donné des pilules extraordinairement efficaces et extraordinairement coûteuses. Le montant cette fois-ci: quatre cents francs.

déchirer tear
deviner guess
tous les deux both
vomir be sick
la pilule pill
efficace effective
coûteux expensive

Et finalement la semaine dernière, Gisèle, ma sœur cadette, a perdu sa mobylette. Elle l'a laissée devant l'hypermarché, et en sortant elle ne l'a plus retrouvée. La police la cherche encore. Je ne sais pas exactement ce que coûte une mobylette neuve. Mais tu vois, mon cher Peter, comme la vie est difficile avec une famille pareille.

Envoie-moi bientôt de tes nouvelles,

Toni

(Excuse l'écriture abominable. C'est que je me suis foulé le poignet il y a une semaine en jouant de la guitare.)

la vie life
envoyer send
les nouvelles (f) news
l'écriture (f) handwriting
se fouler sprain
le poignet wrist

Que fait Félice?
Qu'est-ce qu'elle a sur son bureau? Et encore?
Qu'est-ce qui est arrivé il y a quatre semaines?
Où est-elle tombée, la lampe?
Qu'est-ce que Félice a fait?
Qu'est-ce qu'elle n'a pas remarqué?
Avec quelles conséquences?
Et papa, où a-t-il eu son accident?
Qu'est-ce que cela a coûté?
Comment maman a-t-elle déchiré sa robe neuve?
Qu'est-ce qui est arrivé au chien? Et au chat?
Qu'est-ce que le vétérinaire leur a donné?
Comment Gisèle a-t-elle perdu sa mobylette?
On l'a retrouvée?
Qu'est-ce qui est arrivé à Toni?

Complétez avec des phrases qui commencent par « en »

...... elle a entraîné sa machine à écrire.
...... il a eu une petite collision.
...... elle a déchiré sa robe.
Le chien a commencé à vomir ......
...... elle n'a plus trouvé sa mobylette.

Save space! Use 'en'!

Je suis entré dans le séjour et j'ai vu Michèle.
— En entrant dans le séjour j'ai vu Michèle.

Il est arrivé et il a acheté une carte.
Je suis tombé et je me suis cassé la jambe.
Il m'a vu et il m'a tendu la main.
Elle a commencé à écrire et elle a cassé la machine.
Il s'est assis et il m'a souri.
J'ai rempli le verre et je l'ai cassé
La lampe était lourde et elle m'a fait mal.

Make up your own sentences, beginning **en . . . -ant** and using the verb given

sortir: En sortant, papa a déchiré son pantalon.
jouer: En jouant, ...
manger:
commencer:
partir:
payer:

Répondez à Peter, en se servant du mot **en**

Félice, comment t'es-tu fait mal?
Félice, comment as-tu cassé ta machine à écrire?
M. Malchance, quand avez-vous eu votre accident?
Mme Malchance, comment avez-vous déchiré votre robe?
M. le vétérinaire, comment avez-vous guéri les animaux?

Granny's making her will again!

Et ma fille Michèle, je lui laisse mon 

mon fils Jean-Pierre 

mes petits-enfants 

mon mari Charles 

mon neveu favori 

Patrice et sa femme 

ma sœur Eugénie 

You are Peter. Write a short reply to Toni's letter, telling him that exactly the same sort of things have been happening in your family. These phrases may help you:

remercier de — c'est extraordinaire — exactement la même chose — en montant dans le train — en descendant de l'autobus — en peignant l'extérieur de la maison — en rencontrant le facteur — en fermant la portière de la voiture — en finissant cette lettre.

Pairtalk

Hôtel - Restaurant de Paris
123, Bd. du Grand-Cerf - R. N. 10
86000 POITIERS
R. BUSSONNET
Propriétaire
FRANCE 1,50
ABBAYE DE FONTENAY
VALENTIGNEY
7-6
1979
DOUBS
Cachet de l'Expéditeur
DIRECTION GÉNÉRALE DES IMPOTS
Centre Commercial N° 2
FRANCE 1,20
SARCELLES LOCHERES
19 H
19-4
1977
VAL D'OISE
JUILLET-AOÛT
FRÉJUS
Théâtre romain
VAR
FREJUS
562 — Une partie des Arênes
POSTES ET TÉLÉCOMMUNICATIONS
TÉLÉGRAMME
NUMÉRO d'appel
INDICATIONS de TRANSMISSION
N° de la ligne du P.V. en cas de transmission par téléphone
N° 698
Taxes accessoires
Total
NATURE du télégramme
HEURE de dépôt
MENTIONS de service
Cadre réservé au service
NOM et ADRESSE
Nom et adresse de l'expéditeur :

unit 6

Caroline hates writing to her aunt

Listen to the full conversation twice, then reproduce Caroline's answers, first orally in pairs, then in writing. The full text is overleaf for checking.

— Alors, Caroline, va dans le séjour et écris la lettre à ta tante. Elle attend ta réponse.

— Oui oui ……

— Et ne touche pas à mes affaires!

— Et pense à l'heure. Tu n'as que vingt minutes avant le déjeuner.

— . . . Tu es dans le séjour?

— Et tu réponds enfin à cette lettre?

— Tout de suite, tout de suite! Tu ne t'intéresses pas du tout à cette lettre!

Caroline hates writing to her aunt

— Alors, Caroline, va dans le séjour et écris la lettre à ta tante. Elle attend ta réponse.

— Oui oui, maman, j'y vais tout de suite.

— Et ne touche pas à mes affaires!

— Non non, maman, je n'y touche pas.

— Et pense à l'heure. Tu n'as que vingt minutes avant le déjeuner.

— Oui oui, maman, j'y pense.

— . . . Tu es dans le séjour?

— Oui oui, maman, j'y suis.

— Et tu réponds enfin à cette lettre?

— Oui oui, maman, j'y réponds tout de suite.

— Tout de suite, tout de suite! Tu ne t'intéresses pas du tout à cette lettre!

— Non, c'est vrai, maman. Je ne m'y intéresse pas du tout!

Letter from a hotel

Read the letter opposite carefully, then work out the answers to these questions in pairs:

What rooms have been ordered? For when? What was the date of the letter ordering them?
Is breakfast included in the price?
What does S.T.C. stand for? What does this mean?
How long will the reservation be held? What should be done if the guests cannot get there by that time?
What is the English equivalent for the last five words of the letter?

Now each pair write a reply changing the room reservation because your eldest daughter has broken her leg and can't come with you. These phrases may help you:

je vous remercie de . . . — malheureusement — la jambe — accompagner — nous espérons arriver vers — Veuillez agréer, monsieur, l'expression de mes sentiments distingués.

Réf.

Le 23 juin

Monsieur,

Suite à votre lettre du 20 courant, nous vous réservons pour la nuit du 2I juillet :

une chambre avec	bain et W.C.	pour vous et votre femme	à 90.00
"	douche	votre fille ainée	à 36.50
"	2 lits	pour vos deux enfants	à 47.00

Ces prix sont taxes et service compris.
le petit déjeuner vaut 6 FI5 par personne S.T.C.

Nous vous signalons que les chambres sont réservées jusque 20 H. Si vous avez du retard, prevenez-nous par téléphone s'il vous plait.

Dans l'attente de vous recevoir, veuilles agréer, Monsieur, nos salutations.

Mme Leroy

suite à in response to
courant of this month
compris included
il vaut it is charged at
signaler point out
avoir du retard be late
prévenir warn
l'attente (f) anticipation
agréer accept

unit 7 revision

Grammar

1 elle m'a dressé une contravention
elle lui donne le disque
il leur a donné des pilules

The indirect object pronouns (= *to me*, etc.) are the same as the direct object pronouns (= *me*, etc.) except for **lui** and **leur**. They are:

me	nous
te	vous
lui	leur

Note that **lui** means both *to him* and *to her*. Note also that a past participle does *not* agree with a preceding indirect object:

je leur ai souri
la troisième contravention qu'on lui a dressée

2 nous payons — payant, *paying*
nous finissons — finissant, *finishing*

The present participle in French is formed by substituting **-ant** for **-ons** in the **nous** form of the present tense.

Three verbs have irregular present participles:

être — étant
avoir — ayant
savoir — sachant

The present participle is used either as an adjective:

la semaine suivante
stationnement payant

in which case it agrees like an adjective; or in a phrase, very often with **en**, in which case it doesn't agree:

en sortant, elle ne l'a plus trouvée
en tombant, elle l'a entraînée

Comment tu t'es fait mal? En tombant.
En + present participle (*by ... ing*) is often the answer to **comment**? questions.

Pronoun objects precede the present participle, just as they precede other forms of the verb:
en me voyant, il m'a tendu la main

l'arrêt (m) stop(ping)
le bureau office
l'agent (m) policeman
le tiroir drawer
le sourire smile
le sac à main handbag
Noël (m) Christmas
le lieu place
le défaut lack
le passage clouté pedestrian crossing
le montant sum
le (la) sténodactylo shorthand typist
les dégâts (m) damage
le volant steering wheel
le facteur postman

la durée length (of time)
la voie (traffic) lane
la serviette briefcase
la machine à écrire typewriter
la poignée handle
la pilule pill
les nouvelles (f) news
l'écriture (f) handwriting
les affaires (f) things; possessions

utiliser use
laisser leave
se taire be quiet
rigoler laugh; scoff
à conserver to be kept
se figurer imagine
paraître appear
renverser knock over
faire mal à hurt
entraîner drag (over, down)
déchirer tear
deviner guess
remercier de thank for
peindre paint
valoir (il vaut) be worth; be charged at
avoir du retard be late
prévenir warn
s'intéresser à be interested in
envoyer send
accompagner accompany

The present participle can *never* be used in French with an auxiliary verb, as it is used in English. So *I am eating* is **je mange.**

espérer hope
guérir cure

3 manger — nous mangeons — en mangeant
commencer — nous commençons — en commençant

Verbs ending in **-cer** and **-ger** have spelling peculiarities (**ç, ge**) in the **nous** form of the present. The rest of their present tense is regular. These changes also appear in the present participles of these verbs.

léger (f: **-ère**) light
lourd heavy
ben oui why yes
encore une fois once again
tout à l'heure just now
sacré damn
en effet in fact
en verso on the other side
aîné eldest
étroit narrow
du moins anyway; at least
efficace effective
coûteux expensive
c'est que the fact is
tous les deux both
mille a thousand
bref in short
moche bad; rotten
pas mal not bad
affreux dreadful
dégoutant disgusting
tout de suite immediately
malheureusement unfortunately

4 j'y vais
j'y suis
Y can be used as an object pronoun to mean *there.*

je pense à quelque chose — j'y pense
— *I'm thinking of it*
je ne touche pas à tes affaires — je n'y touche pas
— *I'm not touching them*
je m'intéresse à la lettre — je m'y intéresse
— *I'm interested in it*

Y is also used like this with verbs that take **à**, to mean *it* or *them.*

Y can only be used of things. Its most common use is in the expression **il y a**, which we already know.

5 Here are the full forms of the present, and the perfect, of three irregular verbs which we have so far only met in part. Their forms are similar, though not identical.

savoir

present	je sais	nous savons
	tu sais	vous savez
	il sait	ils savent
perfect	j'ai su	

This verb also has an irregular imperative:
sache, sachons, sachez!

devoir

present	je dois	nous devons
	tu dois	vous devez
	il doit	ils doivent
perfect	j'ai dû (*note the circumflex*)	

croire

present	je crois	nous croyons
	tu crois	vous croyez
	il croit	ils croient
perfect	j'ai cru	

a Form the present participles from each of these verbs; then combine each with a suitable noun:

amuser — une femme amusante
souffrir
payer
désarmer
suivre
intéresser

Form the present participle from these verbs; then use each in a sentence beginning **En** . . .

sortir
finir
entrer
ouvrir
commencer
attendre

b Simplify using **y**

Je ne touche pas à tes choses!
J'ai déjà répondu à sa carte postale.
Pensez-vous aux difficultés?
Allez au bureau de poste!
J'achète tout à l'hypermarché.
Elle arrive à Clermont-Ferrand vers midi.
Vous vous intéressez à l'équitation?
Je ne comprends rien à ce que tu dis.
Elle entre dans le séjour.

c Savoir, devoir, croire?

Ah non, ce n'est pas vrai! Je ne te ...... pas!
Ils ...... aller à la gare à midi dix.
...... -tu quelle heure il est maintenant?
Je ...... voir ta sœur hier dans le supermarché, mais je me suis trompé.
Ne le ...... pas, il ne vous dit jamais la vérité.
Je ne ...... pas ce que tu ...... manger.

d In the following text insert the correct form **le/la/l'/les/lui/leur** in each blank:

« Voilà, messieurs-dames, dit la jolie jeune fille de l'agence de voyages à Monsieur et Madame Garnier, et elle ...... donne huit billets. Ces deux billets-là sont pour le train. Vous ...... prenez à la gare du Nord à neuf heures dix.

— Merci mademoiselle », ... dit Monsieur Garnier. Il prend les billets de train et ...... met dans son portefeuille[1]. La jeune fille ...... montre les autres billets. Il ...... écoute avec attention.

« Ces deux billets-là sont pour l'avion — elle les ...... indique — et les autres sont pour le train et le car, aux États-Unis[2].

— Nous prenons le train à New York? » Monsieur Garnier prend un des billets et ...... regarde. Sa femme s'impatiente.

« Oui monsieur, vous ...... prenez à Grand Central.

— Et puis le car?

— Oui, vous ...... prenez à Detroit.

— Mais dépêche-toi, Gilbert, dit Madame Garnier en ...... poussant[3] de son parapluie[4]. Et donne- ...... l'argent pour les billets enfin! »

[1] le portefeuille, *wallet* [2] les États-Unis, *United States* [3] pousser, *push; poke*
[4] le parapluie, *umbrella*

e Translate

Marie got off[1] her motorbike and went into[1] the house.

'Imagine!' she said[2] to the others, 'Pierre left his bike in front of the Opéra and they[3]'ve given him[4] a parking ticket!'

'The same thing happened[1] to me, too', said Annette. 'I left the car there[5] last week.'

'There are wardens everywhere', said Yves[2]. 'Me, I prefer to go on foot.'

[1] *auxiliary*: avoir *or* être? [2] *inversion after direct speech* [3] on [4] le *or* lui? [5] y. *Position?*

f Discuss these three street scenes in French in pairs. Here are some useful starters:

Qu'est-ce que tu vois . . . ?
Qu'est-ce qu'il y a . . . ?
Que fait le . . . ?
Où se trouve le . . . ?

Here are some more useful words and phrases:

sur la photo	au milieu	attendre
à gauche	en été	porter du pain
à droite	la pharmacie	le marché
au fond	les agents	l'hôtel de ville
au premier plan	l'arrêt	

VOCABULAIRE EXTRA

Les pièces de l'appartement

le séjour

regarder
se reposer
allumer
éteindre *switch off*

la cuisine

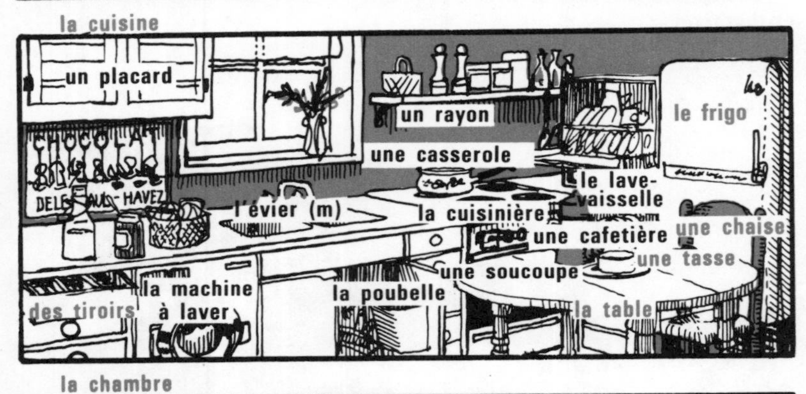

laver
manger
boire
vider *empty*
faire du café
se servir de *use*
le linge *washing*

la chambre

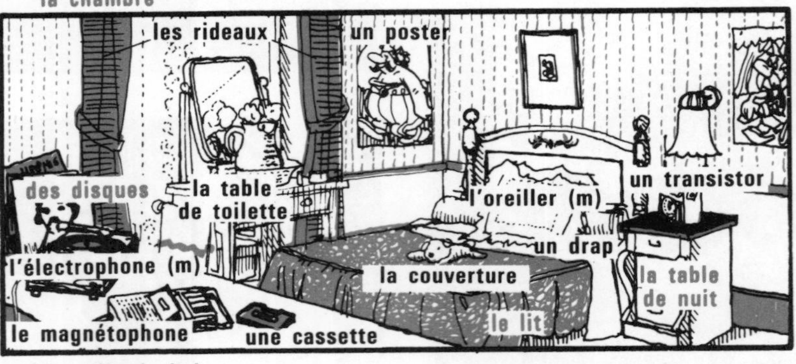

se coucher
dormir *sleep*
écouter
tirer *pull*
s'habiller
se déshabiller *get undressed*
passer *play* (*record etc.*)

la salle de bain

se laver
prendre un bain *bath*
s'essuyer *dry oneself*
se brosser les dents,
les cheveux
se raser *shave*
(avec un rasoir électrique)
changer de vêtements *clothes*

unit 8

Qu'est-ce qu'il fait?

C'est un garçon de restaurant

C'est un facteur

C'est un pompiste dans un garage

C'est un laveur de carreaux

C'est un musicien

C'est un ingénieur

A la discothèque

Listen to the dialogue.
Read through the questions.
Listen to the dialogue again.
Answer the questions, choosing the correct phrase to complete the sentence.

Sophie parle à Yvette

1 The boy Sophie wants to know about is **a** tall and sunburnt.
b small and dark.
c tall and dark.
d big and fat.

2 Yvette first got to know Bernard **a** in Germany.
b two years ago.
c six months ago.
d at school.

3 Bernard was **a** a postman in the United States.
b a petrol-pump attendant in Germany.
c a window-cleaner in France.
d a student in Paris.

4 Bernard is now **a** a poor musician.
b a teacher.
c a well-off engineer.
d a waiter.

5 Sophie does not know that Yvette is Bernard's **a** girl-friend.
b sister.
c wife.
d boss.

« Qui est ce garçon-là ?
— Quel garçon ? Le grand bronzé ?
— Oui oui, qui c'est ?
— C'est Bernard. Vous ne le connaissez pas, Sophie ? Vraiment pas ?
— Mais non, je ne le connais pas. Il n'est pas mal. Pas mal du tout. Plutôt mon type. Alors, qui est-ce ? Qu'est-ce qu'il fait ?
— Bernard ? C'est un type intéressant. Il a fait un peu de tout. D'abord, en quittant l'école, il était facteur, ici à Paris. Pendant, oh, six mois. Puis il est allé aux États-Unis. Là il faisait un peu de tout. Il travaillait comme garçon de restaurant, comme pompiste dans un garage, comme laveur de carreaux. Il était très pauvre. Ensuite il est revenu en Europe et il a travaillé comme vendeur dans un magasin en Allemagne. Quand je l'ai connu, il y a deux ans, il était musicien, il donnait des leçons de guitare et ne mangeait presque rien. Mais il finissait ses études à la Sorbonne, et maintenant il est ingénieur et très bien payé.
— Tout ça ! Et il est beau aussi. . . . Et vous le connaissez ? Voulez-vous me le présenter ?
— Mais oui, pourquoi pas. Bernard ! Viens ! Voici une jolie fille qui veut faire ta connaissance, Sophie Moreau. Sophie, je vous présente mon mari, Bernard. »

bronzé sunburnt
pas mal not bad
travailler work
l'Allemagne (f) Germany
l'étude (f) study

Parlons de Bernard

Quel emploi avait-il d'abord en quittant l'école ?
Et qu'est-ce qu'il faisait plus tard aux États-Unis ?
Et quoi encore ?
Est-ce qu'il était riche en ce temps-là ?
Qu'est-ce qu'il faisait quand Yvette l'a connu à Paris ?
Est-ce qu'il mangeait beaucoup ?
Que faisait-il à la Sorbonne ?

You've certainly been getting about a bit!

Qu'est-ce que tu faisais en France?

— En France je travaillais comme

en Allemagne

en Europe

en Italie

en Angleterre

aux États-Unis

Qu'est-ce que je faisais en ce temps-là?

donner travailler manger être finir

Tu ......

Of course we do!

Vous connaissez la France?
— Mais bien sûr, nous la connaissons très bien!

Vous dites que je connais votre mari? Mais bien sûr, vous ......
Tu connais ce restaurant? Mais bien sûr, je ......
Xavier connaît la rue Ferry? Mais bien sûr, il ......
Tu crois que je connais Danielle? Mais bien sûr, tu ......
Est-ce que vous connaissez les Drancourt? Mais bien sûr, nous ......
Tes parents ne connaissent pas Marseille? Mais bien sûr, ils ......

Maintenant? Ou il y a longtemps?

Patrice connaît Paris.
Je connais ce quartier.
Elle connaissait mon oncle.
Elles connaissent le café Flore.
Tu ne connaissais pas Philippe?
Jean-Jacques connaissait Genève.
Tu connais l'arc de Triomphe.
Je connaissais très bien l'Italie.

Geography isn't my best subject!

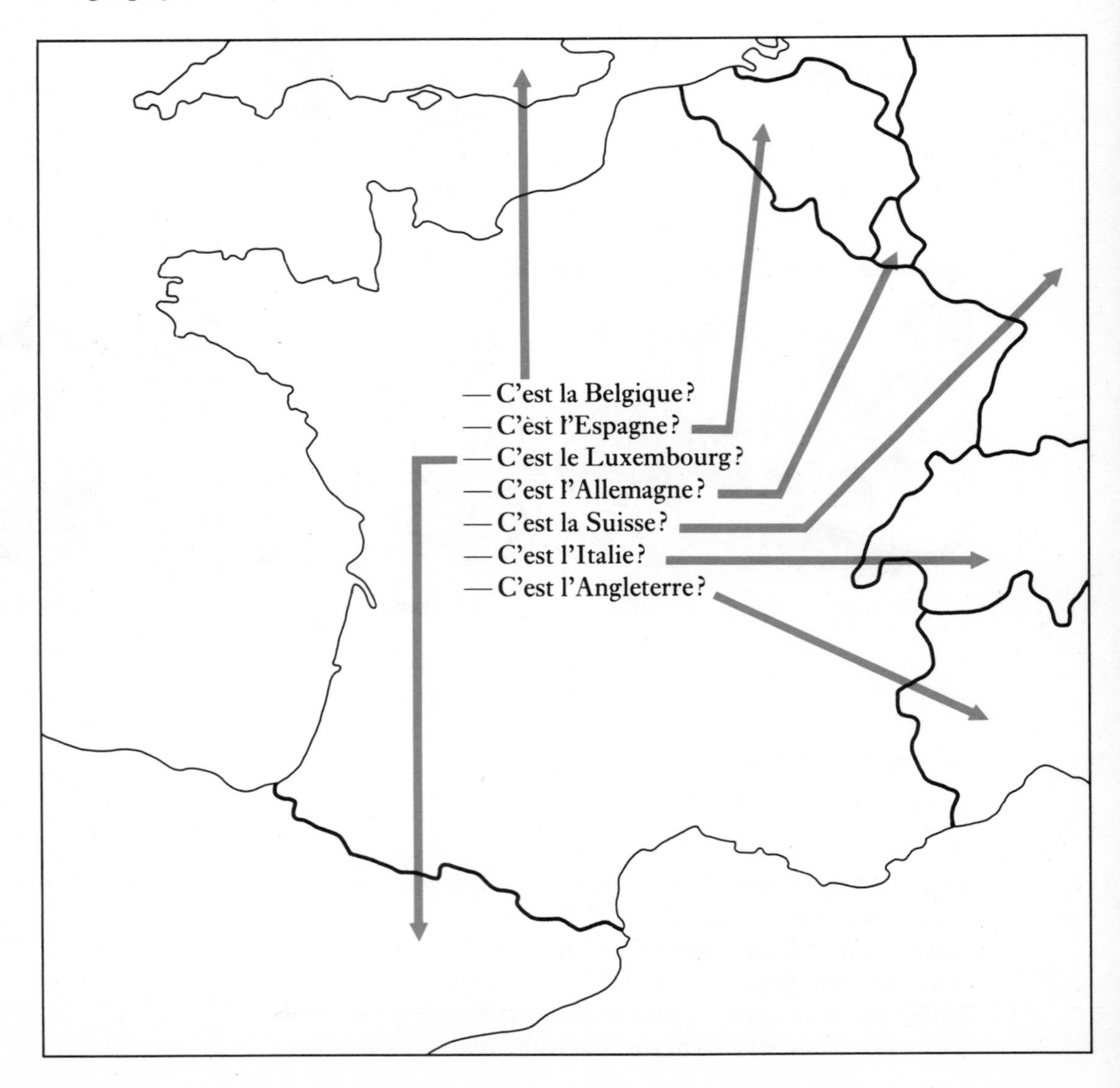

unit 9

La rentrée

C'était un jour gris de la fin d'octobre. Un ciel gris et nuageux couvrait un paysage gris. Des feuilles mortes tombaient lentement des arbres mouillés devant la petite maison de campagne où habitaient les Achard. Les dernières fleurs de la saison, des chrysanthèmes, baissaient leurs têtes tristes et mouillées devant la porte de la maison. Un véritable mercredi d'octobre.

Alain Achard regardait par la fenêtre. Évidemment il avait des devoirs à faire. Les devoirs étaient toujours là, même le mercredi, jour de congé. Dehors il commençait à pleuvoir. Alain regardait la pluie fine qui tombait et rêvait des grandes vacances finies . . .

C'était une jolie villa. Normalement Alain n'aimait pas les vacances en famille, mais cette année on avait loué une maison près de la mer à Mimizan, dans les Landes. Alain ne connaissait pas les Landes, il aimait nager, il voulait se bronzer — bref, il a dit « ben . . . oui » à son père un peu surpris et il est parti en vacances avec la famille pour la première fois depuis trois ans. Et le deuxième jour des vacances il a fait la connaissance de Christine. La maison voisine était louée, elle aussi, à des estivants. Et la fille de la famille, déjà bronzée, dix-sept ans, ravissante, c'était Christine. On s'est parlé, on est descendus ensemble à la plage, on est devenus inséparables. . . .

La pluie tombait avec plus de force maintenant, et les feuilles brunes et jaunes tombaient aussi. Une pluie de feuilles mortes. Sur la route le facteur, à bicyclette, passait sans s'arrêter, les cheveux trempés. Pas de courrier aujourd'hui. Comme hier. Comme avant-hier . . .

A Mimizan il y avait eu tant de choses à faire à deux. Nager, jouer au volley-ball, la rivière, le petit bateau loué . . . Et le soir, les cafés, la discothèque, les longues promenades au clair de lune, les dunes, les pins . . . Bien sûr, ils étaient amoureux. C'était la première fois, du moins pour Alain. Et pendant tout

le ciel sky
nuageux cloudy
le paysage landscape
la feuille leaf
mouillé wet
la campagne country
la fleur flower
baisser hang
véritable real
les devoirs homework
le jour de congé holiday
dehors outside
la pluie rain
rêver dream
nager swim
depuis for
voisin next door
l'estivant (m) summer visitor
ravissant delightful
devenir become
brun brown
trempé soaked
le courrier mail
avant-hier the day before yesterday
tant de so many
à deux with two of you
la rivière river
le clair de lune moonlight
le pin pine
amoureux in love

le mois d'août il faisait beau et on était ensemble et la vie était parfaite.

Premier septembre, c'était la rentrée. Ils se sont promis de se retrouver aussitôt que possible, peut-être à Noël, de s'écrire tous les jours. Ils se sont dit un au revoir rapide devant la porte du jardin de la maison louée et puis la Simca verte de la famille de Christine est partie.

Et Alain écrivait tous les jours. Et Christine répondait, peut-être une fois par semaine; des lettres décevantes avec peu d'échos des jours inoubliables de l'été.

Et maintenant, en cette fin d'octobre, il pleuvait, Alain avait des devoirs qu'il ne faisait pas et le facteur passait sans s'arrêter. Et devant la porte de la maison des Achard les chrysanthèmes, les dernières fleurs de la saison, baissaient sous la pluie leurs têtes mouillées.

parfait perfect
la rentrée the day to go back (to school, to work)
aussitôt que as soon as
décevant disappointing
peu de few
inoubliable unforgettable

Quel temps faisait-il à la fin d'octobre?
Comment était le ciel? Et le paysage?
Décrivez la scène devant la maison des Achard.
Pourquoi Alain n'était-il pas au collège?
A quoi pensait-il?
Pourquoi est-il allé en vacances avec sa famille?
Quand a-t-il fait la connaissance de Christine?
Où habitait-elle? Comment était-elle?
Qu'est-ce qu'ils faisaient ensemble?
Qu'est-ce qui est arrivé le premier septembre?
Qu'est-ce qu'ils se sont promis?
Est-ce qu'Alain a tenu sa promesse? Et Christine? Comment étaient ses lettres?
Pourquoi le facteur passait-il maintenant?

It's happening now

Rewrite the third paragraph in the present tense; begin:

'C'est une jolie villa . . .'

Sophie did, but they didn't

Sophie voulait nager. Et ses parents?
Ils ne ...... pas nager.

Sophie avait des devoirs à faire. Et ses amis?
Le soir Sophie se promenait. Et Jean et Julie?
Sophie partait. Et Xavier et ses parents?
Sophie écrivait chaque semaine. Et tous les autres?
Sophie commençait à se bronzer. Et ses deux sœurs aînées?
Sophie tombait amoureuse. Et ses amies?

How much have you got?

— Et de l'argent? Tu en as beaucoup? — Ah oui, j'ai beaucoup d'argent.

du temps	trop	......
des amis	assez	
du pain	très peu	
......	tant	
......		

— Elle m'aime . . . un peu . . . beaucoup . . . passionnément . . . à la folie . . . pas du tout . . .

Quant à mon mari, hier, c'était exactement comme d'habitude

Quand je rentre à six heures, il est derrière l'Équipe.
—Quand je suis rentreé à six heures, il ......

Et quand j'essaie de faire la conversation, il pense à autre chose.
Et quand je veux manger, il n'a pas faim.
Et quand je veux sortir, il est fatigué.
Et quand je sors, il regarde la télé.
Et quand je reviens, il est endormi.
Et quand je me couche, il ronfle!

What about Christine's side of the story?
Complete it using the perfect

Un jour je (rencontrer) le jeune garçon de nos voisins. Il (annoncer) qu'il s'appelait Alain. Je (voir) qu'il m'admirait, et comme je m'ennuyais en famille, je (décider) de m'amuser avec lui. Ce matin-là nous (aller) à la plage, nous (se baigner). Le soir il (proposer) une promenade. Je (accepter). Nous (partir) dans les dunes, et nous (entrer) sous les pins. Il m'(embrasser)...

Quand nous (quitter) Mimizan, il (promettre) de m'écrire. Je (dire) la même chose sans beaucoup d'enthousiasme. Puis nous (partir)...

unit 10

Les dactylos discutent des vacances

Listen to the dialogue twice and then answer these questions.

1 This year Sylvie and her husband are going **a** to Rome.
b to Bayonne.
c to Portugal.
d to Spain.

2 Line's husband didn't like Spain **a** because they had a villa next to the motorway.
b because it was too quiet.
c because it was too noisy.
d because their villa was eighteen kilometres from the motorway.

3 Sylvie and her husband's trip to Rome was unsuccessful because
a they would have preferred northern Italy.
b they didn't get enough spaghetti.
c they didn't like the food and the heat.
d they had to leave their hotel every morning early.

4 Sylvie liked Portugal because **a** their villa was near to the sea and had its own pool.
b their villa was so close to Oporto.
c they got there so easily by plane.
d they felt so cut off from the world there.

5 Line's villa holiday in Brittany was unsatisfactory because
a she and her husband didn't get on with her cousin and her husband.
b the birds woke them early in the morning.
c the rubbish wasn't taken away.
d the bathroom taps didn't work.

6 Last year Line and her husband **a** spent their holidays in an unsatisfactory Spanish villa.
b spent only a few hours in Spain.
c visited Line's in-laws in Spain.
d arrived in Spain for their holidays on a Sunday morning.

Sylvie : Mon mari et moi, nous allons en Espagne cette année.

Line : Vraiment? L'Espagne, je la connais. Nous y étions l'année dernière. Nous ne l'aimions pas trop. C'était trop tranquille pour mon mari. Il aime le bruit. Nous habitons tout près de l'autoroute.

Sylvie : Je croyais que vous habitiez Clichy?

Line : Non, dans le dix-huitième, tout près de l'autoroute.

Sylvie : Et où vous allez en vacances?

Line : Cette année nous allons en Italie, à Rome.

Sylvie : Ah, nous y étions il y a deux ans.

Line : Vous étiez en Italie? Où ça? Au nord?

Sylvie : Non non, à Rome, comme vous. Il faisait si chaud que nous n'avons presque rien vu. Nous sortions chaque matin à dix heures, et dès onze heures il fallait rentrer, il faisait tellement chaud. Et nous n'aimions pas la cuisine.

Line : Ah oui, Rome, la ville éternelle . . .

Sylvie : Les spaghetti éternels. Il y a deux ans nous avons passé nos vacances au Portugal, près d'Oporto.

Line : Où ça se trouve, Oporto?

Sylvie : Je ne sais pas, on est allé en avion. Nous habitions une villa près de la mer. Ça, c'était beau. Nous avions une piscine privée et nous faisions notre propre cuisine.

Line : Mon mari n'aime pas les maisons louées. Nous avons loué une villa il y a trois ans, en Bretagne. Nous y étions à quatre avec ma cousine et son mari. Et le sanitaire ne fonctionnait pas. Il fallait réparer les robinets chaque matin avant de se laver. Heureusement que mon mari est plombier. Mais en Espagne c'est encore pire, à ce qu'on dit.

Sylvie : Vous ne savez pas? Mais vous étiez en Espagne l'année dernière. Vous l'avez dit!

Line : Euh . . . oui . . . c'est-à-dire, nous rendions visite aux parents de mon mari à Bayonne, et nous avons passé le dimanche matin en Espagne.

l'autoroute motorway
tellement so
la cuisine cooking; food
la piscine swimming pool
privé private
propre own
la Bretagne Brittany
fonctionner work
heureusement que luckily
le plombier plumber
pire worse
rendre visite à visit
passer spend

Normalement . . .

Vous déjeuniez chez Oscar.
. . . . . .

Mais ce jour-là . . .

Vous avez déjeuné au Restaurant de Paris.
Vous avez pris une table près de la porte.
Vous avez mangé du veau.
Vous avez bu de la bière.
Vous avez laissé un très petit pourboire.
Vous êtes retourné au bureau à pied.

Perfect or imperfect? (once or habitually?)

Ce matin-là j'ai fumé: normalement je ne fumais pas.
elle est sortie: hier elle ......
il a plu: pendant toute la semaine dernière ......
elle a porté un blue-jean: dimanche matin ......
tu es venu me voir: samedi dernier ......
on a nagé: pendant les vacances ......
nous sommes arrivés de bonne heure: d'habitude ......
elles sont allées au supermarché: tous les autres jours ......

Vrai ou faux?

L'Italie se trouve au nord de la Suisse.
Le Portugal se trouve à l'est de l'Espagne.
La Belgique se trouve au nord des Pays-Bas.
L'Écosse se trouve au sud de l'Angleterre.
La Suisse se trouve à l'ouest de la France.
Le Danemark se trouve au nord de l'Allemagne de l'ouest.
L'Autriche se trouve au nord de l'Italie.
La Pologne se trouve à l'ouest de l'Allemagne de l'est.
Le Pays de Galles se trouve au nord de l'Irlande.
La Corse se trouve au nord de la France.

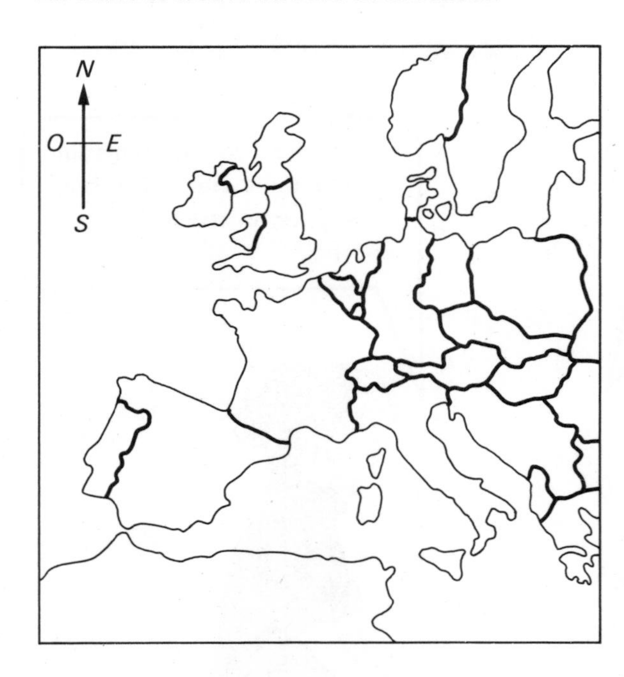

Corrigez:

Cardiff est en Pologne.
Édimbourg est en Danemark.
Londres est en Écosse.
Rome est au Portugal.
Varsovie est en Allemagne de l'est.
Berne est au Pays de Galles.
Copenhague est en Belgique.
Bruxelles est aux Pays-Bas.
Madrid est en Corse.
Lisbonne est en Angleterre.
Vienne est en Irlande.

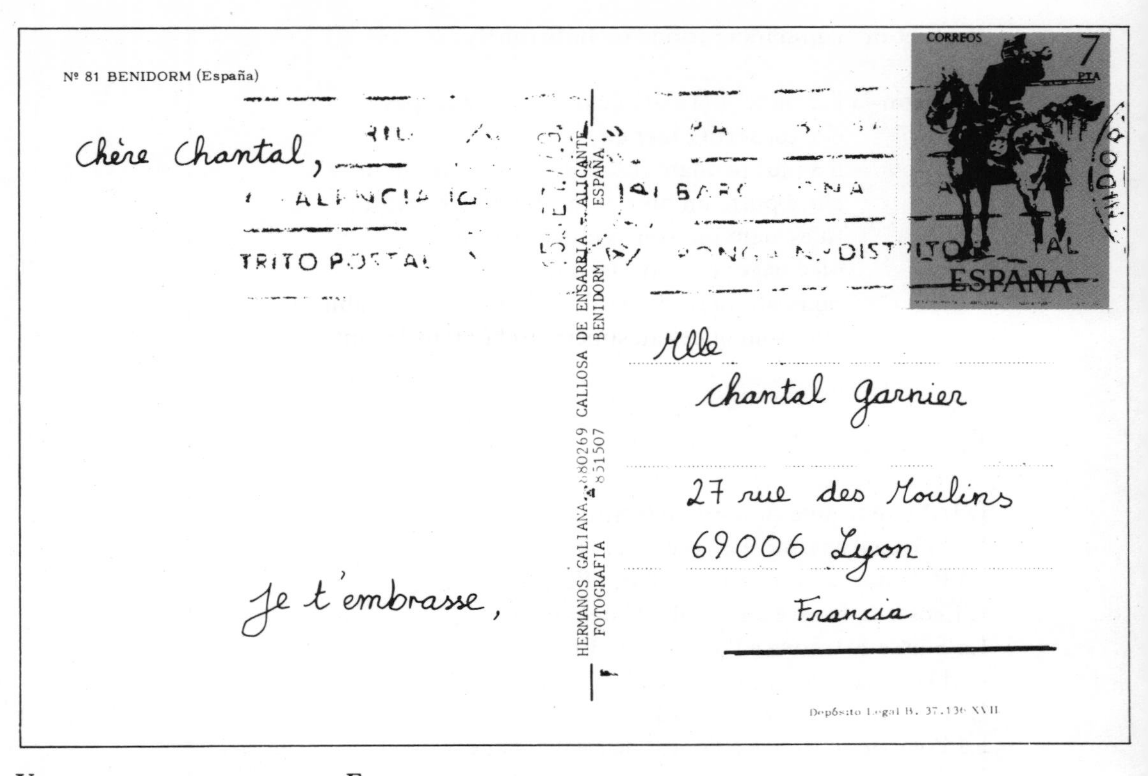
Nº 81 BENIDORM (España)

Chère Chantal,

Je t'embrasse,

Mlle
Chantal Garnier
27 rue des Moulins
69006 Lyon
Francia

HERMANOS GALIANA 880269 CALLOSA DE ENSARRIA - ALICANTE
FOTOGRAFIA 851507 BENIDORM ESPAÑA

CORREOS 7 PTA ESPAÑA

Depósito Legal B. 37.136 XVII

Vous passez vos vacances en Espagne.
Complétez cette carte postale à votre amie Chantal.

Pairtalk

Vous êtes journaliste de France-Soir, vous faites un article sur une famille anglaise typique. Posez les questions nécessaires.

Répondez à ces questions sur votre famille. Soyez aimable, c'est pour un article de journal!

unit 11 revision

Grammar

1 The imperfect tense is formed from the **nous** form of the present:

nous finissons → je finissais
tu finissais
il finissait
nous finissions
vous finissiez
ils finissaient

The endings are the same for all verbs. Only **être** has an irregular stem: **j'étais.**

The imperfect is used

a to describe a state:
un ciel nuageux couvrait un paysage gris
la pluie tombait
c'était un jour gris d'octobre
la maison où habitaient les Achard

b to indicate a repeated action:
il donnait des leçons de guitare
il ne mangeait presque rien
le soir Sophie se promenait
nous sortions chaque matin

c to indicate a continuing or incomplete action. In this use it normally contrasts with a perfect, which indicates a single, complete action:
quand je me suis couchée, il ronflait

So the imperfect is the tense of background description and repeated action, whereas the perfect is the tense of the single, completed action. Schematically, along a time line, they look like this:

perfect: single action

imperfect: state or continuing action

or this:

perfect: single action

imperfect: repeated action

l'emploi (m) job
l'ingénieur (m) engineer
le ciel sky
le paysage landscape
les devoirs (m) homework
le courrier mail
le pourboire tip
le sud south
l'ouest (m) west
le Pays de Galles Wales

l'Europe (f) Europe
l'Allemagne (f) Germany
l'Italie (f) Italy
l'Angleterre (f) England
la Belgique Belgium
l'Espagne (f) Spain
la Suisse Switzerland
la Corse Corsica
l'Écosse (f) Scotland
l'Irlande (f) Ireland
Édimbourg (f) Edinburgh
Londres (f) London
Bruxelles (f) Brussels
la leçon lesson
la feuille leaf
la fleur flower
la saison season
la pluie rain
la rivière river
l'autoroute (f) motorway
la piscine swimming pool
la Bretagne Brittany

travailler work
baisser lower; hang
nager swim
devenir become
promettre promise
fonctionner work
réparer repair
rendre visite à visit
passer spend (*time*)
rêver dream

bronzé sunburnt
trempé soaked
nuageux cloudy
mouillé wet
dehors outside

The English forms *I was ...ing* and *I used to ...* are almost always imperfects in French; the English form *I have ...ed* is almost always a perfect. In translation the difficulty lies with the simple English past (*I ...ed*), where the meaning needs to be carefully considered to see whether a French perfect or imperfect is more suitable.

2 en France — au Portugal
en Bretagne — en Corse

As a general rule *in* or *to* with names of countries is **en**. **En** is also used with regions of France. **Au** or **aux** is used for countries with plural names (**aux États-Unis**), countries starting with the word **pays (au Pays de Galles)** and all masculine countries (**au Japon**). Except when used with **en**, countries always have a definite article in French:

la France — le Portugal

Most countries are feminine.

3 **Connaître**-type verbs
A very small group of verbs follow the model of **connaître**. They are

connaître — **reconnaître**
paraître — **apparaître** (*appear = become visible*)

The model they follow is:

present	je connais	nous connaissons
	tu connais	vous connaissez
	il connaît	ils connaissent
perfect	j'ai connu	
imperfect	je connaissais	

Note the circumflex in the **il** form and don't confuse the present and the imperfect of these verbs.

4 c'est un ingénieur
il est ingénieur
Pierre est ingénieur

In the last two cases (**il est ...**, **Pierre** (etc.) **est ...**) the **un** or **une** may be dropped before the noun indicating a job.

5 on est devenus inséparables

Note the agreements where **on** refers to clearly specified people.

voisin neighbouring; next-door
brun brown
avant-hier the day before yesterday
tant de so much; so many
amoureux in love
parfait perfect
aussitôt que as soon as
décevant disappointing
peu de little; few
quant à as for
fatigué tired
tranquille calm
tellement so
propre own
heureusement que luckily
pire worse
véritable real
aimable pleasant; nice
longtemps for a long time

a Insert the verbs in the perfect or imperfect (with pronouns where necessary)

Ce ...... un beau jour de mai, il ...... chaud, et Anne-	être, faire
Marie ...... un jour de congé. Alors elle et Robert	avoir, aller
ensemble faire un pique-nique à la campagne. Ils ...... un bon	trouver
endroit ombragé sous des arbres, et Anne-Marie ...... à couper	commencer
du pain. Ils ...... tranquillement quand soudain Anne-Marie	manger
...... un animal derrière un des arbres.	voir
« C'est un taureau[1], Robert! »	crier
« Mais non », ... Robert, « c'est une vache[2]. » Et comme	dire
Robert ...... l'animal ...... de derrière l'arbre.	rire, sortir
« Bon Dieu, tu ...... raison, c'est un taureau », ... Mais	avoir, dire
Anne-Marie ne ...... rien — elle ne ...... plus là.	répondre, être

[1] le taureau, *bull*   [2] la vache, *cow*

b Quel pays est-ce? Où va Pierre?

1 C'est l'Angleterre. Pierre va en Angleterre.

c Complete with the correct form of **connaître, paraître** or **reconnaître** in the present

— Bonjour Monsieur Duclos!
— Vous me c ......?
— Mais oui, certainement.
— Mais . . . je ne vous r ...... pas. Annette, r ...... -tu ce monsieur? Il p ...... que nous nous c ......
— Non, je ne le c ...... pas.
— Eh bien, elle ne vous c ...... pas non plus. Et vous dites que vous me c ......?
— Mais oui monsieur! Vous êtes auteur, n'est-ce pas? Vos livres p ...... chaque année. Je les ai tous à la maison. Et je vous r ...... à votre photo.

d Translate

It was a fine day at the[1] end of June and the Duponts were leaving on their[2] holidays. In front of the house Paul was sitting[3] on their suitcases. His sunburnt young[4] wife was already at the wheel of their car.

'Good morning[5]. You're off[6] on holiday?' asked Madame Huchon, going past[7].

'Yes, this morning.'

'You were in England last year, weren't you? Are you going to England again?'

'You're[8] right, we were in England last year. It rained all the time and we were so cold[9]! No, this time we're going to Spain — we want to be warm[9]!'

[1] *at the*, de [2] *on their*, en [3] *sitting*, assis [4] *position of adjectives?*
[5] *what would the French add here to be polite?* [6] *be off = leave* [7] *go past*, passer
[8] *care! not* être [9] *be cold, warm*, avoir froid, chaud

e En vacances avec grand-mère

The promenade at Le Touquet is rich in notices. Consider the three in these photographs and then answer grandma's questions.

Can I get swimming lessons?
Is the water in the pool heated?
What will it cost me
to go swimming?
Can I get a season ticket?
What would it cost?
Can we bath grandpa here?
Do I have to tip them?

l'abonnement (m) season ticket
réduit reduced
la natation swimming

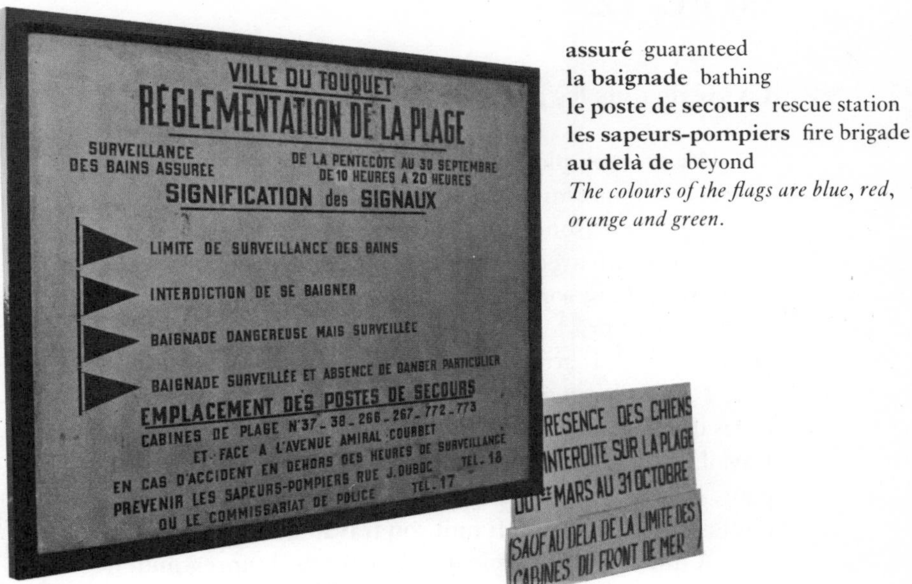

assuré guaranteed
la baignade bathing
le poste de secours rescue station
les sapeurs-pompiers fire brigade
au delà de beyond
The colours of the flags are blue, red, orange and green.

If I want to swim in the sea at nine this evening will the lifeguards be there? What does the green flag mean? And the red one? What will grandpa have to do if I get into difficulties swimming and the lifeguards aren't there? Can I take Rover on to the beach with me?

VOCABULAIRE EXTRA

La table

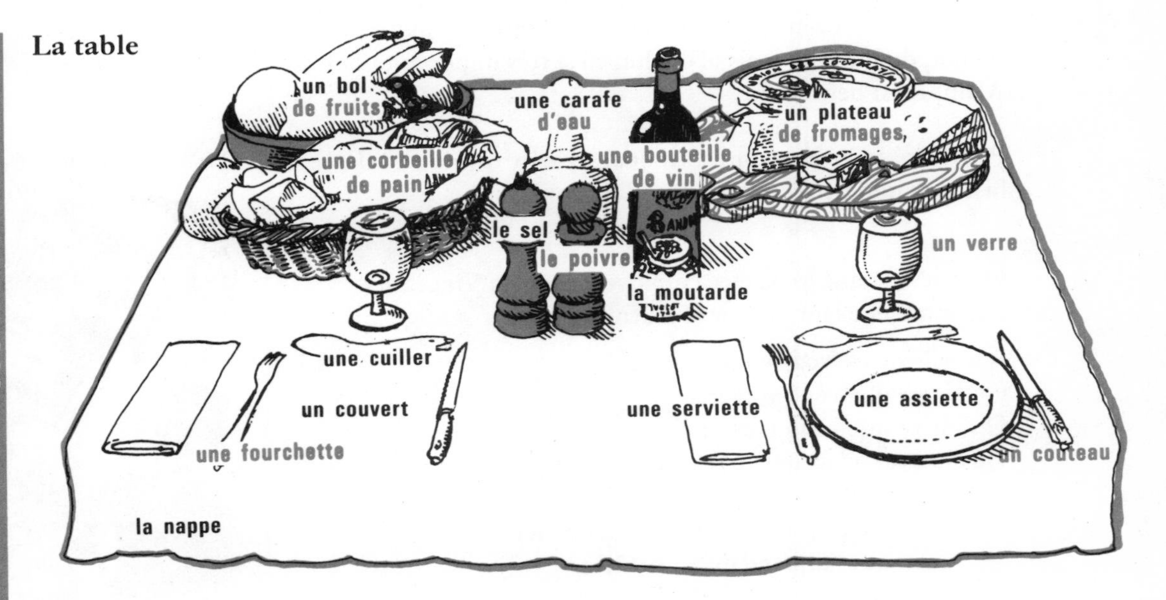

un repas
voulez-vous me passer . . . ?
voulez-vous encore du . . . ?
ça c'est assez, merci
qu'est-ce que vous prenez à boire?
mettre le couvert *lay the table*
enlever le couvert *clear the table*
vous prenez du . . . ?
merci, je n'en prends plus
le dîner est servi

unit 12

La vie de tous les jours

Alain est employé comme gardien au zoo de Vincennes. Mardi était pour lui une journée typique. Il se leva à six heures et demie. Il prit son petit déjeuner à sept heures moins dix, mangea du pain avec un œuf et écouta les informations à la radio; puis il mit son imperméable et quitta la maison à sept heures dix. Il prit le Métro jusqu'à la Porte Dorée et continua ensuite à pied. Il arriva au zoo à huit heures moins cinq.

Il passa la première partie de la matinée à nettoyer les cages des lions, des tigres et des panthères. Pas agréable comme travail, mais Alain aimait les grands félins, et il n'en avait pas peur. Puis il donna à manger aux éléphants, aux chameaux, aux girafes et aux chevaux. Il finit son travail du matin à midi.

A une heure et demie il recommença. L'après-midi il ouvrit la cage intérieure des singes, et fit entrer ces animaux dans leur petit parc; puis il alla à la cage du gorille. C'est un ami d'Alain, et il l'attendait avec impatience. Alain lui donna à manger, puis joua avec lui pendant un quart d'heure — cela faisait parti de son travail.

Alain travailla jusqu'à cinq heures et demie, nettoyant, examinant, donnant à manger, puis il remit son imperméable, sortit du zoo et rentra à la maison. Une journée typique. Métro, boulot, dodo? Oui, mais le boulot, c'est très important pour Alain. Il est heureux!

le gardien keeper
les grands félins the big cats
avoir peur be afraid
donner à manger à feed
le chameau camel
le singe monkey
le parc park
le boulot (*slang*) job
le dodo (*slang*) sleep

Put the passage into conversational style by turning all the past historics into perfects.

Monsieur Alain, vous êtes employé au zoo de Vincennes. Racontez-nous un peu votre journée d'hier.

A quelle heure vous vous êtes levé?
Qu'est-ce que vous avez mangé?
Qu'est-ce que vous avez mis?
Quand avez-vous quitté la maison?
Vous êtes allé au zoo en autobus?
Vous y êtes arrivé à quelle heure exactement?
Qu'avez-vous fait pendant la matinée?
Quels animaux avez-vous vus?
Vous vous êtes reposé à midi?
Qu'est-ce que vous avez fait l'après-midi?
Vous avez terminé votre travail quand?
Qu'est-ce que vous avez fait après?

Déjà parti

Josette et Micheline se postèrent devant la gare routière de Mimizan-Plage et attendirent le départ du car pour Bordeaux. A part un monsieur et sa femme elles étaient les seules à l'attendre. Enfin, cinq minutes après l'heure annoncée du départ, le conducteur arriva, et le monsieur et sa femme montèrent dans le car. Ils payèrent et s'assirent. Josette et Micheline montèrent aussi et sortirent leur porte-monnaie pour payer.

« Bordeaux aller et retour, s'il vous plaît, dit Josette.

— Bordeaux, mesdemoiselles? Vous vous êtes trompées de car. C'est ici le car pour Arcachon. »

Les deux filles s'étonnèrent.

« Arcachon? Arcachon?

— Mais oui. Le car pour Bordeaux est parti de l'autre côté du garage il y a cinq minutes. »

à part apart from
annoncé advertised

sortir take out
le porte-monnaie purse
aller et retour return

se tromper make a mistake
s'étonner be astonished

a Rewrite the first paragraph using the perfect instead of the past historic.

b Using the text plus the pictures, answer these questions:

What day of the week was it?
Was that day a public holiday?
At what time exactly did the driver arrive?
Were the girls returning to Bordeaux or just visiting the town?
Does the 06.30 to Bordeaux run on a Sunday?
Which bus only runs on Sundays and public holidays?
How long were the girls going to have to wait?

Une partie de pêche

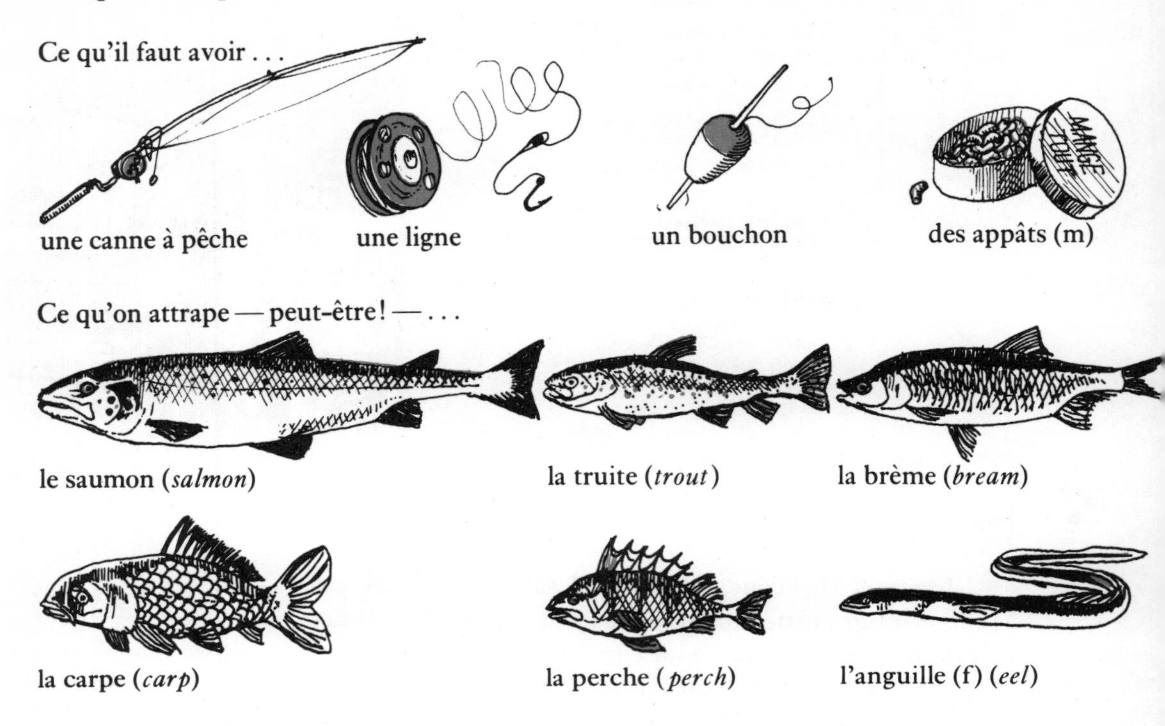

Ce qu'il faut avoir . . .

une canne à pêche | une ligne | un bouchon | des appâts (m)

Ce qu'on attrape — peut-être! — . . .

le saumon (*salmon*) | la truite (*trout*) | la brème (*bream*)

la carpe (*carp*) | la perche (*perch*) | l'anguille (f) (*eel*)

« Pas mal du tout, dit Julien, qui examinait la nouvelle canne à pêche de son ami Christophe. C'est un cadeau?

— Mais non! Je l'ai achetée moi-même! J'ai fait des économies.

— On va l'essayer?

— Bien sûr!

— Où ça? Dans la rivière?

— Dans la rivière! »

Une demi-heure plus tard, les deux garçons arrivèrent près de la rivière. Ils descendirent de leur bicyclette, les laissèrent au bord de la route, traversèrent un champ et s'approchèrent de l'eau.

« Ah oui, c'est ici la limite du maritime, dit Julien. Mais jusqu'à l'affiche on peut pêcher sans permis.

— L'eau n'est pas trop profonde ici?

— Non, non! Mais qu'est-ce que tu veux attraper enfin?

— Oh, je ne sais pas — évidemment pas des civelles — quelque chose de bon à manger: des truites, des carpes peut-être. Il y a du saumon dans la rivière.

— Tu ne vas pas prendre de saumon! Même avec ta nouvelle canne.

— On ne sait jamais. Tu ne connais pas la rivière.

— Non, mais toi, je te connais! Et je sais que tu ne vas pas prendre de saumons. Une perche, des brèmes, oui peut-être bien, mais pas de saumon. »

Les deux garçons s'installèrent au bord de la rivière. Ils regardèrent leurs lignes pendant quelques moments et puis ils parlèrent des poissons qu'ils allaient attraper. Mais les poissons restaient obstinément dans l'eau. Loin de leurs appâts. Au bout d'une heure . . .

« Ah, regarde donc! cria Christophe.

— Tu as quelque chose?

— Oui, je pense bien . . . ah non . . .

— Hé, ton bouchon! Ça bouge! cria Julien.

— Tu l'as vu?

— Mais oui, ça bouge . . . non, ça ne bouge plus . . . mais ça a bougé, j'en suis sûr. »

Mais enfin ça y était! Le bouchon de la ligne de Chistophe sauta trois fois. Christophe commença à ramener sa ligne.

« Tu as pris quelque chose? dit Julien.

— Mais oui, mais oui. C'est un poisson, un gros.

— Alors, ne le laisse pas échapper!

— Mais bon Dieu, comme il tire. Je . . . je crois que c'est un saumon.

— Attends, je viens t'aider.

— Non non, pas la peine, je l'ai, je l'ai . . . Ah . . . mais non!

— Qu'est-ce que tu as? »

Christophe ne dit plus rien. Il montra le « gros poisson » au bout de sa ligne. La première victime de la nouvelle canne. C'était une petite anguille, presque une civelle, d'une longueur de vingt centimètres.

Julien la regarda.

« C'est ça, ton saumon? rigola-t-il. Ah bon. Alors, bon appétit. Moi, je préfère un bâtonnet de poisson surgelé! »

1 Julien examina la canne à pêche de Christophe
- **a** parce que c'était un cadeau.
- **b** parce que Christophe l'avait achetée lui-même.
- **c** parce qu'elle était nouvelle.
- **d** parce qu'il voulait l'essayer.

2 Christophe dit qu'il voulait prendre des truites
- **a** parce qu'il y en avait beaucoup dans la rivière.
- **b** parce qu'elles étaient bonnes à manger.
- **c** parce qu'on pouvait les prendre sans permis.
- **d** parce qu'elles étaient faciles à prendre.

3 Julien dit que Christophe allait peut-être attraper
- **a** des brèmes.
- **b** des carpes.
- **c** des saumons.
- **d** des civelles.

4 Les deux garçons ne prenaient pas de poissons
- **a** parce qu'ils parlaient trop.
- **b** parce que les poissons n'aimaient pas leurs appâts.
- **c** parce qu'ils n'avaient pas de bouchons.
- **d** parce qu'il n'y avait pas de poissons dans la rivière.

5 A la fin
- **a** Christophe attrapa un saumon.
- **b** Julien laissa échapper un gros poisson.
- **c** Christophe prit une anguille.
- **d** Julien attrapa un poisson surgelé.

Connaître ou savoir?

Je ne ...... pas si on peut pêcher ici.
Nous ...... Bordeaux aussi bien que Paris.
Marie-Claire ...... le frère de ton ami Jacques.
...... -tu que la France a gagné le match?
Est-elle arrivée? Je ne ...... pas.
...... -vous la différence entre une brème et une carpe?
Ils ne ...... pas mon école.
Ils ne ...... pas où se trouve mon école.

Vous êtes Julien. Racontez à votre mère ce que vous avez fait cet après-midi. Commencez:

Nous sommes arrivés près de la rivière; nous sommes descendus de notre bicyclette . . .

unit 13

On mesure . . .

Le poids Il est lourd
—il pèse 100 kilos.

La longueur Il est long
—il a 80 centimètres de long.

La hauteur Elle est haute
—elle a 307 mètres de haut.

La largeur Elle est large
—elle a 30 kilomètres de large.

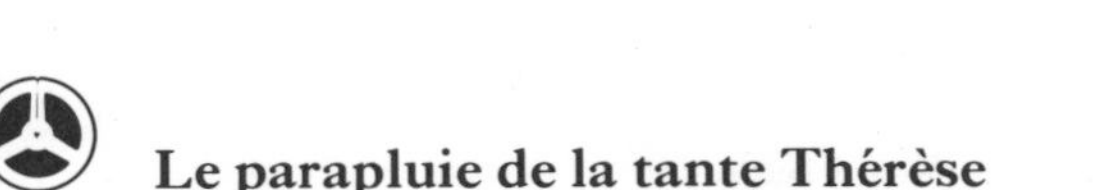

Le parapluie de la tante Thérèse

Le téléphone sonna. Luc Thibaudet décrocha.
« Allô. Ah, tante Thérèse! Luc se mit à sourire. Quel merveilleux week-end, n'est-ce pas? Nous sommes toujours enchantés de vous voir ici. Ah, vous avez oublié quelque chose? Votre parapluie? Dans l'armoire du vestibule? Ah tiens, ne quittez pas, je vais voir s'il est toujours là. »

sonner ring
se mettre à begin to
merveilleux marvellous

Luc sortit dans le vestibule et chercha dans l'armoire. Tout au fond il découvrit le long parapluie élégant de la tante Thérèse. Il revint à l'appareil, le parapluie à la main.

« Oui, ma tante, je l'ai. Il était caché derrière les manteaux. L'envoyer? Par la poste? Mais oui, certainement. Naturellement, pas de problème. Mais oui, tante Thérèse, je comprends parfaitement. Il pleut beaucoup chez vous, n'est-ce pas? Je le mets à la poste dès aujourd'hui. Comptez sur moi! Au revoir, ma chère tante. »

cacher hide
compter count

Il remit le combiné, puis il appela ses frères:
« Hé, vous deux, vous avez entendu? C'était la tante Thérèse, elle a oublié son parapluie. Il faut l'emballer et le mettre à la poste. »

entendre hear

Les deux frères de Luc apparurent tout de suite dans le séjour. Ils étaient tous les trois les seuls héritiers de Mlle Thibaudet, leur tante. Et Mlle Thibaudet était très, très riche.

l'héritier heir

Pour eux Mlle Thibaudet, et son parapluie, étaient très importants.

« Ah oui, c'est ça, dit Jacques. Il faut faire vite — il pleut beaucoup chez elle.

— Peut-on envoyer un parapluie par la poste? demanda Marcel, le troisième frère.

— Je ne sais pas, dit Luc. J'ai un livret des PTT quelque part. Je vais le chercher. Et vous autres, allez prendre du papier d'emballage et de la ficelle. »

Luc parut bientôt avec son livret au sujet des services des PTT et les autres revinrent avec le papier et la ficelle. Ils considérèrent le parapluie.

« Il est long, n'est-ce pas? dit Jacques.

— Oui, et élégant, dit Marcel. Tante Thérèse est toujours très élégante.

— Oui, mais le parapluie. Comment faire pour emballer un parapluie? poursuivit Jacques.

— Il est surtout question des dimensions, dit Luc. Écoutez, d'après le livret, « dimensions maximales: longueur plus « largeur plus hauteur égalent cent centimètres ».

— Alors, je l'emballe, dit Marcel. Ce n'est pas si difficile; et puis on va mesurer le paquet. Le parapluie n'a pas plus de quatre vingts centimètres de long, j'en suis sûr . . . Voilà mon paquet — il a au plus cinq centimètres de large et cinq centimètres de haut.

— Il n'est pas très joli, ton paquet, dit Jacques.

— Tu peux mieux faire? Eh bien, essaie donc!

— Il faut bien, dit Luc, qui continuait à lire son livret. Le poids maximal est de cinq kilos . . .

— Ça ne pèse pas cinq kilos! Le parapluie de tante Thérèse n'est pas si lourd que ça, dit Marcel.

— Justement! dit Jacques.

— Mais écoutez, voici l'important, poursuivit Luc. La longueur ne peut excéder soixante centimètres.

— Ah ça alors! Mais il a sûrement plus de soixante centimètres de long. Je vais le mesurer — donne-moi le mètre à ruban. Ah oui, voilà, tenez, regardez! Soixante-dix-huit centimètres! Qu'est-ce qu'on fait? On ne peut quand même pas le casser en deux! Et il faut absolument l'envoyer!

— Ah oui, dit Jacques, il le faut. Pensez à la pauvre tante Thérèse sans parapluie sous la pluie! Il faut l'envoyer.

— Et pensez à tout son argent, dit Marcel. Il faut absolument l'envoyer! »

les PTT post-office
le papier d'emballage brown paper
la ficelle string
poursuivre go on
surtout above all
d'après according to
maximal maximum
égaler equal
mieux better
lire read
justement exactly

Qui a téléphoné?
Qu'est-ce qu'elle a oublié?
Où?
Où se trouvait-il exactement?
Qui l'a trouvé?
Qu'est-ce qu'elle a dit qu'il fallait faire?
Mlle Thérèse avait grande importance pour ses neveux. Pourquoi?
Où Luc a-t-il trouvé les détails postaux?
Quelles sont les dimensions maximales d'un paquet postal?
Et le poids maximal?
Et la longueur maximale?
Quelle est la difficulté concernant le parapluie?

Mlle Thibaudet reçut son parapluie. Mais comment? Voilà la page du livret de Luc avec les détails nécessaires — qu'est-ce que les trois neveux firent pour lui envoyer le parapluie?

2 **Quel poids, quelles dimensions doivent avoir vos envois ?**

Pour la France :

• **Envois sous enveloppe** (ou sous pochette).
Poids maximal : 5 kg (sauf pour les envois à distribuer par porteur spécial : 3 kg).
Dimensions maximales : L + l + h = 100 cm (sans que la longueur puisse excéder 60 cm).
Dimensions minimales : 14 × 9 cm.

La mention « lettre », obligatoire si l'envoi est d'un poids supérieur à 20 g, est également conseillée en cas de lettre grand format d'un poids inférieur à 20 g.

• **Cartes postales**
Dimensions maximales : 15 × 10,7 cm.
Dimensions minimales : 14 × 9 cm.

• **Envois sous forme de paquet**
Poids maximal paquet-poste : 5 kg.
Dimensions maximales : L + l + h = 100 cm (la longueur ne pouvant excéder 60 cm).
Dimensions minimales : 10 × 7 cm, les envois inférieurs à ces dimensions sont néanmoins admis, s'ils sont pourvus d'une étiquette adresse rectangulaire de dimensions au moins égales à 10 × 7 cm.

• **Envois sous forme de rouleau**
Poids maximal : 5 kg
Dimensions maximales : longueur + 2 fois le diamètre = 104 cm (la longueur ne pouvant excéder 90 cm).
Dimensions minimales : longueur + 2 fois le diamètre = 17 cm (la plus grande dimension ne pouvant être inférieure à 10 cm).

Pour l'étranger :

• **Envois sous enveloppe** (ou sous pochette)
Poids maximal : 2 kg.
Dimensions maximales : L + l + h = 90 cm (la lon-
... pouvant excéder 60 cm).

LES COLIS POSTAUX
Ce service fonctionne dans les rela
entre la France continentale, la C
ments et territoires français d'outre-
des pays étrangers. Il permet d'envo
poids maximum de 10 à 20 kg su
destination.

Dimensions maximales :
• **Colis « avion » ou « accéléré »**
longueur et 3 m pour la somme de
plus grand pourtour pris dans un s
de la longueur.
• **Colis « voie de surface »** : c
respectivement de 1,50 m et 3 m.
Toutefois, certains pays admetta
maximales inférieures, il est reco
seigner dans les bureaux de poste.

Dimensions minimales : 14 × 9 cm

Dépôt :
1/ Les colis « voie de surface
mal de 5 kg et dont les dimen
les limites maximales admises p
du régime intérieur, **les colis avi**
sont déposés dans les bureaux

Attention, dans les localités p
établissements postaux, les co
règle générale, au dépôt que da

2/ Les colis « voie de surfa
visés ci-dessus, sont acceptés
ments de la SNCF ouverts à
de « messageries ».

Savez-vous que vous pouve
les bureaux de poste des em
dimensions suivantes :
n° 1 : 200 × 133 × 70 mm
n° 2 : 250 × 170 × 95 mm
n° 3 : 300 × 200 × 120 mm
n° 4 : 360 × 220 × 145 mm

Quelles dimensions ont ces objets?

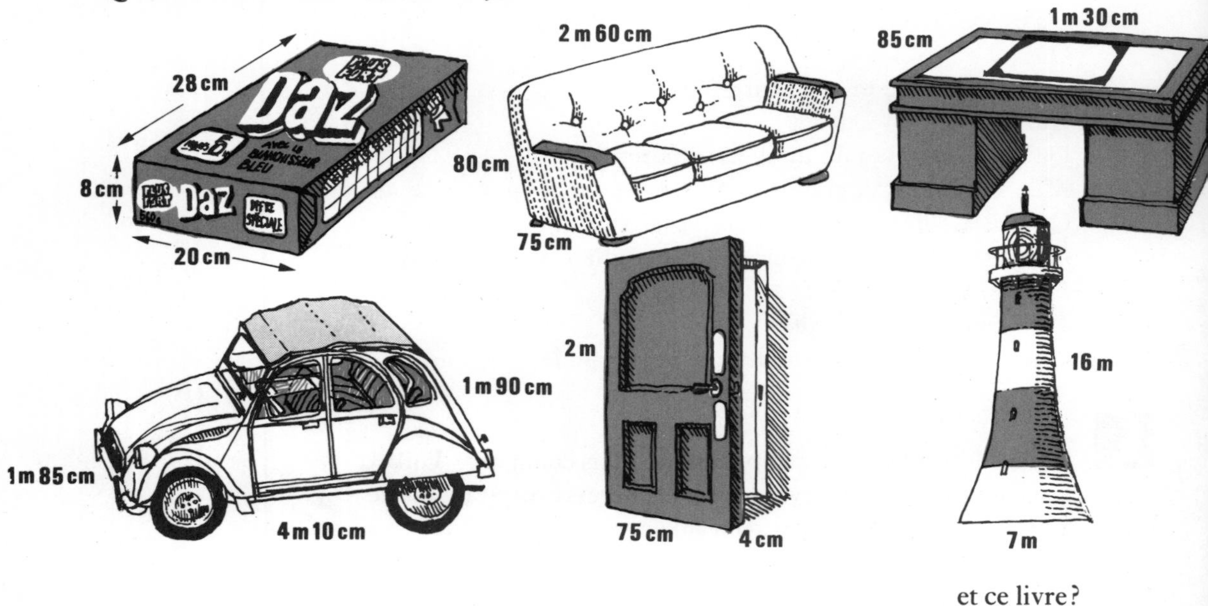

et ce livre?

On mesure encore une fois . . .

Quelle est votre taille (*size/height*)?

taille:
1 m 80
(Elle mesure
un mètre quatre
vingts)

Elle est de grande
taille.

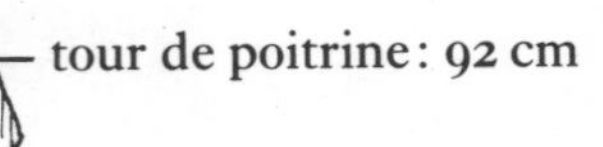

tour de poitrine: 92 cm

tour de taille: 76 cm
(elle a 76 cm tour de taille)

tour de hanches: 90 cm

la pointure des chaussures: 39
(Quelle pointure chausse-t-elle?
Elle chausse du trente-neuf.)

Je regrette, madame,
on n'a rien à votre taille!

Et Miss France?

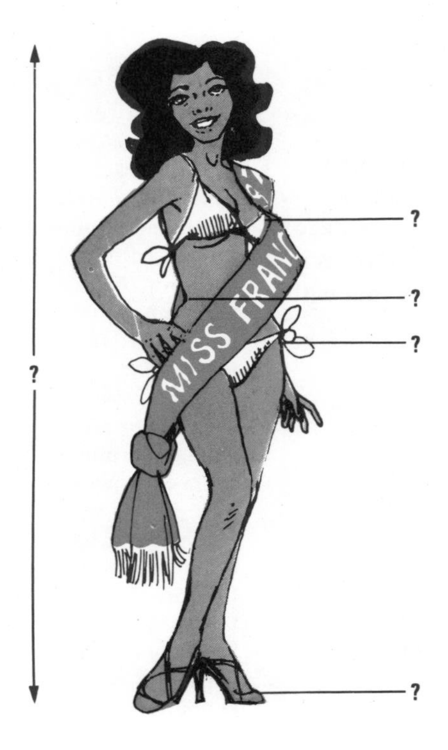

Et Victor?

On lit:

Le téléphone sonna.
Luc sortit.
Il revint.
Les frères apparurent tout de suite.
Les autres revinrent.
Ils considérèrent le parapluie.
Mlle Thibaudet reçut son parapluie.
Qu'est-ce qu'ils firent?

Mais on dit:

Le téléphone a s ......

Pairtalk

unit 14 revision

Grammar

1 The past historic

This is a tense used in printed narrative (novels, newspapers, etc.) where in conversation the perfect (*not* the imperfect) would be used. It is not used in letter writing and at this stage you simply need to recognize it. Since most past narrative is in the third person, only the **il** and **ils** parts of verbs are met with frequently in this tense. They are:

-er verbs: il écout**a** ils écout**èrent**

-re and **-ir** verbs, and most irregular verbs:
il attend**it** ils attend**irent**

a few irregular verbs:
il par**ut** ils par**urent**

venir, tenir and their compounds:
il v**int** ils v**inrent**

Most past historics of irregular verbs are immediately recognizable, but note:

il **fut**	from **être**
il **fit**	from **faire**
il **eut**	from **avoir**
il **écrivit**	from **écrire**
il **vit**	from **voir**

2 tu ne connais pas la rivière
je te connais
je sais que tu ne vas pas prendre de saumons

Connaître and **savoir** both mean *to know*. **Connaître** is to know a person or place in the sense of 'be acquainted with'. **Savoir** is to know a fact or to know *that* . . .

3 Measurement

Quelle est la { longueur / largeur / hauteur } de la boîte?

Elle a trente centimètres de { long. / large. / haut. }

This is the most common way of expressing the dimensions of objects.

le chameau camel
le singe monkey
le parc park
le porte-monnaie (*pl. inv.*) purse
(un) aller et retour return (ticket)
le bord edge
le champ field
le permis permit
le saumon salmon
le bout end
le livret booklet
le papier paper
le mètre à ruban tape measure
le neveu nephew

la Manche English Channel
la canne à pêche fishing rod
la truite trout
la largeur width
la hauteur height
la hanche hip
la pointure size (shoes etc.)
la taille height, size, waist

avoir peur be afraid
donner à manger à feed
sortir (*aux.*: **avoir**) take out
s'étonner be astonished
s'approcher de approach
pêcher fish
attraper catch
bouger move
sauter jump
échapper escape
tirer pull
sonner ring
se mettre à begin to
cacher hide
compter count
entendre hear
poursuivre go on
égaler equal
lire read
peser weigh

à part apart from
profond deep
de temps en temps from time to time

Quelle est sa taille?
Elle a une taille d'un mètre soixante-cinq.

Quel est son tour de { poitrine? / taille? / hanches? }

Elle a 76 cm tour de taille.
Quelle pointure chausse-t-elle?
Elle chausse du trente-six.

These are the usual ways of expressing the measurements of people. Note the different meanings of **la taille**.

pas la peine don't bother
surgelé (deep) frozen
merveilleux marvellous
surtout above all
mieux better
justement exactly

4 The new irregular verb **lire**:

present	je lis	nous lisons
	tu lis	vous lisez
	il lit	ils lisent
perfect	j'ai lu	
imperfect	je lisais	

The past historic of this verb is **il lut**.

a Rewrite using perfects instead of past historics

Vincent entra dans le magasin de chaussures et s'assit. Il cherchait une paire de bottes marron, style cowboy. Le vendeur vint vers lui, mais passa par derrière et ne fit pas attention à lui. Il servait un autre client.

Peut-être pas marron, pensa Vincent. Noires. Des bottes noires. Vincent aimait les couleurs sombres. Le vendeur revint, mais toujours sans faire attention à lui.

Vincent réfléchit . . . Est-ce qu'il voulait vraiment des bottes? Non, peut-être des chaussures, des chaussures noires. Mais non, ça, c'était un peu trop sombre. Vincent regarda l'étalage devant lui, où il y avait des chaussures rouge foncé. Belle couleur, se dit-il. Mais plutôt pour les pantoufles. Soudain il eut une idée — il avait vraiment besoin de nouvelles pantoufles!

réfléchir consider

l'étalage (m) display
rouge foncé (*inv.*) dark red
la pantoufle slipper
avoir besoin de need

Le vendeur parut enfin devant Vincent.

« Monsieur désire? demanda-t-il.

— Je veux une paire de bottes marron, style cowboy . . . ou des pantoufles rouge foncé . . . » répondit le jeune homme.

Le vendeur ne s'étonna pas. Rien n'étonne les vendeurs. Il s'inclina.

s'incliner bow

« Oui monsieur, certainement, dit-il. Quelle pointure chaussez-vous? »

b Translate

'I know Victor very well[1].'

'Yes, I know you know Victor, but do you know where he lives[2]?'

'I know the street — it's near the Place de la Concorde.'

'I know it's near the Place de la Concorde, but do you know where exactly[3]?'

'I know which Métro station. It's Tuileries.'

'But where does Victor live?!'

'I . . . don't know.'

[1] word order? [2] live **demeurer** [3] exactly **exactement**

c Et qu'est-ce que c'est?

L: 1 m 30 l: 85 cm h: 78 cm

— Elle a un mètre trente de long, quatre-vingt-cinq centimètres de large et soixante-dix-huit centimètres de haut. C'est une table.

L: 1 m 50 l: 55 cm h: 1 m 80

L: 14 cm l: 3 cm h: 20 cm

L: 5 m l: 4 m h: 2 m 30

L: 2 m l: 1 m h: 45 cm

L: 75 cm l: 75 cm h: 90 cm

d Translate

'Hello.'

'Is that[1] chez Cyrano?'

'Yes madam.'

'Ah. I was in your restaurant last night[2] and I forgot my umbrella.'

'An umbrella? What[3] colour, madam?'

'Dark red.'

'Ah yes, here it[4] is.'

'Unfortunately I'm in[5] Paris — would you[6] send it to me by post? My name is Dunois and my address is 17, rue des Sapeurs-Pompiers, Paris XVIe.'

'Er[7], I'm sorry, madam. I made a mistake. We haven't found any[8] umbrella. I'm very[9] sorry. Goodbye madam. — Gaston! Put this umbrella in the dustbin[10]!'

[1] je suis bien . . . [2] hier soir [3] de qu . . . [4] le *goes before* voici [5] à
[6] voulez-vous [7] euh [8] pas de [9] beaucoup [10] la poubelle

e Contes is a little village in the north of France. Maresquel and Beaurainville are places nearby. Answer these questions about them, and about what was going on in Contes on July 31 and August 1.

la bonneterie knitwear
les primeurs (f) (spring) vegetables
le défilé procession
le tir shooting gallery
le manège roundabout
la buvette refreshment bar
les électroménagers (m) electrical goods
la volaille poultry

Where can you buy a chicken in Maresquel?
What does M. Lozinguez sell?
Where can you get your hair cut?
What do Boulenger and Ratel sell?
Where can you get a glass of wine in Contes?
Which shop sells both pullovers and canned peas?
What does M. Hanquez sell? (**Détail** here means *retail.* What do you think **demi-gros** means?)
What is happening on Saturday night?
What is going on on Sunday apart from the football tournament? (**L'Aurore musicale** is a brass band)

Dans la salle de classe

parler français avec
écrire à, dans, sur
écouter **une bande** *tape*
lire
aller chercher
brancher *plug in*
projeter *project*
regarder **des diapositives**
faire **la description** de
discuter *discuss*

unit 15

Depuis quand?

« Mais te voilà enfin! Je t'attends depuis une demi-heure.

— Quoi, tu es là depuis huit heures et demie? Où?

— Ici devant le cinéma. Depuis plus de trente minutes. Devant le Rex.

— Mais moi aussi j'attendais. J'attends depuis trois quarts d'heure devant le Moderne!

— Mais tu es vraiment impossible. J'ai bien dit devant le Rex. Et le film a commencé à neuf heures moins le quart.

— Bon. Allons à la discothèque! »

« Ah oui, ma fille. Elle est à Paris depuis deux ans. Elle travaille maintenant comme secrétaire.

— Elle est secrétaire depuis longtemps? Je croyais qu'elle était professeur?

— Oui, bien sûr au début. Mais elle n'aimait pas ça. Elle était professeur depuis seulement deux mois quand on lui a offert un emploi de secrétaire. Son nouveau patron est très riche, paraît-il.

— Et elle est très belle, n'est-ce pas? Ah oui, c'est la vie ... »

« Mais oui, nous habitons Bordeaux depuis six mois. Oui oui, depuis la mi-septembre. Alain? Oh, Alain, lui, je ne l'ai pas vu depuis Noël. Mais, tu sais, il y a un jeune garçon charmant que je connais depuis la semaine dernière, il s'appelle Richard ... »

« Vous êtes ici pour longtemps, mademoiselle?

— Pour cinq semaines. Toute la famille est là. On a loué une villa.

— Vous étiez là l'année dernière, je crois. Je vous ai déjà vue.

— Oui, c'est ça. Mais seulement pendant deux semaines au mois d'août.

— Et vous êtes arrivés quand?

— Nous ne sommes ici que depuis trois jours.

— Alors, on a tout le temps de se connaître, n'est-ce pas? »

Depuis? pendant? pour?

C'est aujourd'hui samedi, nous partons vendredi, nous sommes ici ...... sept jours.
Je demeure rue de l'Université ...... dix ans.
L'année dernière on était au Touquet ...... deux semaines.
Je n'ai pas vu ta sœur ...... trois semaines: je ne sais pas où elle est.
Nous sommes ici ...... toutes les vacances, c'est-à-dire jusqu'au 1er septembre.
Il a plu ...... tout un mois l'année dernière.
J'attendais ...... cinq minutes seulement quand il est arrivé.

Complétez

Te voilà enfin! Je t' ...... depuis une demi-heure.	attendre
Elle ...... comme secrétaire depuis un an quand elle a eu cet accident.	travailler
On ...... Paris depuis dix ans maintenant.	habiter
Tu vois, je ...... ici depuis cinq minutes seulement!	être
Je ne ...... pas une seule cigarette depuis trois ans.	fumer
Depuis quand ...... -tu le français?	apprendre
Je ne dors plus depuis qu'il ...... là.	être

La fille à tous les talents

Un reporter interroge la nouvelle Miss World.

Mademoiselle, vous êtes Miss World depuis vingt-quatre heures. Comment vous sentez-vous?
— Mais en pleine forme, monsieur.
Vous participez depuis longtemps à des concours de beauté?
— Oui, j'y ...... (bientôt quatre ans)
Il paraît que vous avez tous les talents, mademoiselle.
Vous parlez anglais?
— Oui, je ...... (sept ans)
Vous jouez du piano?
— Oui, j'en ...... (six ans)
Et vous êtes championne de tennis?
— Oui, c'est vrai, je le ...... (l'été dernier)
Vous tournez des films publicitaires?
— Oui, j'en ...... (cinq ans déjà)
On m'a dit que vous écrivez des romans.
— Oui, j'en ...... (trois ans)
Et vous êtes fiancée?
— Oui monsieur, je le ...... (hier soir).

Dans le zoo

arriver au zoo — le petit Pierre — une écharpe rouge

devant les éléphants depuis cinq minutes quand — « je veux voir . . . »

devant les girafes depuis deux minutes — « je veux voir . . . »

devant les lions depuis — remarquer qu'il n'est plus là — allé voir le gorille

horrifié — la cage du gorille — porter l'écharpe — peut-être tué — appeler le gardien

soudain — sur un banc — manger une glace — lui donner l'écharpe — un cadeau — avoir froid

unit 16

Voici un faire-part de mariage . . .

Madame Paul Nebout,
Madame Armand Neuschwander,
Monsieur et Madame Bernard Nebout
ont l'honneur de vous faire part du mariage de Monsieur Dominique Nebout, leur petit-fils et fils, avec Mademoiselle Dominique Giraut.

Et vous prient d'assister ou de vous unir d'intention à la messe de mariage qui sera célébrée le Samedi 16 Septembre 1978 à 16 heures, en l'église de Saint-Crépin-aux-Bois.

Le consentement des époux sera reçu par Monsieur l'abbé Perrier.

29, rue de Berne, 75008 Paris.
91, rue Villiers-de-l'Isle-Adam, 75020 Paris.
26, rue d'Armenonville, 92200 Neuilly-sur-Seine.

Madame Jean-Louis Giraut
Madame Bernard Nebout

recevront à l'issue de la cérémonie religieuse à Berneuil-sur-Aisne.

Réponse souhaitée avant le 1er Septembre

Who is the bride?
What relation is the groom to Mme Paul Nebout and Mme Armand Neuschwander?
Where is the marriage taking place?
Who is M. Perrier?
What is to happen at Berneuil-sur-Aisne?
How soon before the wedding will M. Giraud know how many guests are coming?

NICOLE, JEAN-PIERRE
ET SOPHIE RUEG
SONT HEUREUX
DE VOUS ANNONCER
LA NAISSANCE DE
NICOLAS

7 RUE VICTOR HUGO, SARCELLES (S.-&-O.)

. . . et ça, qu'est-ce que c'est?

Lettres inachevées

Ajaccio le 2 septembre

Chère amie,

Je viens de recevoir aujourd'hui seulement l'invitation à ton mariage! Notre soi-disant service postal va de mal en pis: je vois que vous êtes mariés, Toni et toi, depuis trois mois déjà et que l'invitation est datée du quinze juin. C'est insupportable! Je vais écrire au service des réclamations des PTT. Enfin, chère Sylvie, mes félicitations à toi et à Toni et mes meilleurs vœux pour votre avenir . . .

Ajaccio le 3 septembre

Ma très chère amie,

C'est aujourd'hui seulement que je viens de recevoir la bonne nouvelle de la naissance de ton enfant Daniel. Figure-toi, le faire-part de naissance était parti depuis presque quatre semaines. La poste est devenue totalement impossible. Et en plus — je venais de recevoir l'invitation à ton mariage, juste avant l'arrivée du faire-part de la naissance de Daniel! C'est incroyable! Toutefois, je suis sûre que Toni et toi êtes très heureux et que . . .

Ajaccio le 4 septembre

Ma pauvre Sylvie,

Je suis tout à fait bouleversée des nouvelles que je viens de recevoir aujourd'hui, de ta demande en divorce. Ta lettre n'est pas la seule chose que je viens de recevoir de toi. Hier seulement j'ai reçu le faire-part de la naissance de Daniel, et c'est seulement depuis deux jours que j'ai l'invitation à ton mariage! Je vois aussi que la lettre que je viens de recevoir de toi est datée du 27 août. Elle est partie alors depuis huit jours . . . toutes sortes de choses ont pu se passer pendant ces huit jours . . . je me demande si c'est la peine d'achever cette lettre? . . . je crois plutôt que je vais te téléphoner . . .

C'est Monique qui a commencé à écrire ces trois lettres.

le 2 septembre: Qu'est-ce que Monique vient de recevoir?
Qui est marié?
Depuis combien de temps?
A qui va-t-elle écrire?

le 3 septembre: Qu'est-ce que Monique vient de recevoir?
Il est en route depuis combien de temps?
Qu'est-ce que Monique venait de recevoir hier?

le 4 septembre: Pourquoi Monique est bouleversée?
Depuis combien de temps a-t-elle l'invitation de mariage?
Qu'est-ce qui est daté du 27 août?
Qu'est-ce que Monique va faire maintenant?

Trouvez des excuses!

Veux-tu sortir avec moi?
— Ah, je m'excuse, je viens de ......

Ce que tu as fait . . .
Tu t'es lavé les cheveux.
Tu as promis à Claude de dîner avec lui.
Tu t'es couchée.
Tu t'es cassé la jambe.
Tu as déchiré ton seul collant.
Tu as perdu tes lunettes.
Tu as attrapé la grippe.
Tu as cassé la voiture.

Désastres, désastres

Mon oncle Jules v ......
d ...... chanter la Marseillaise quand il a avalé ses fausses dents.

Je ...... entrer dans le zoo quand un éléphant a marché sur ma glace aux fraises.

Mon cousin Victor ......
écrire son premier poème quand on l'a guillotiné.

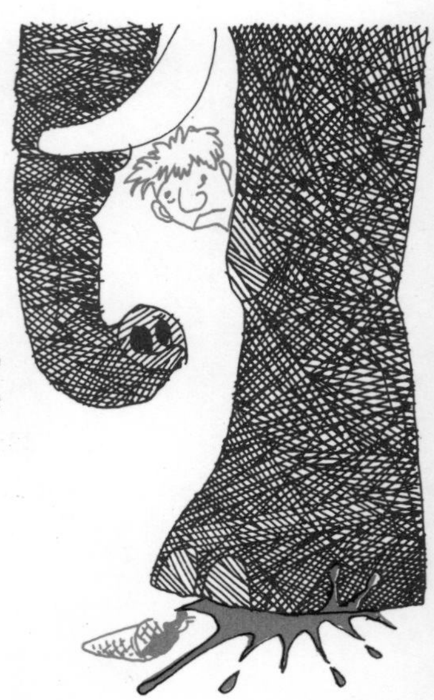

Ma nièce Joséphine et moi
...... étaler le pique-nique
quand une vache s'est assise
sur le camembert.

Tu ...... doubler ma voiture
quand j'ai perdu une roue.

Mes neveux ...... réparer le
toit quand l'un d'eux est
tombé de l'échelle.

Vous ...... quitter la cuisine
quand la cuisinière a explosé.

Careless lot!

Qu'est-ce que tu viens de faire? Je viens de me casser la jambe.

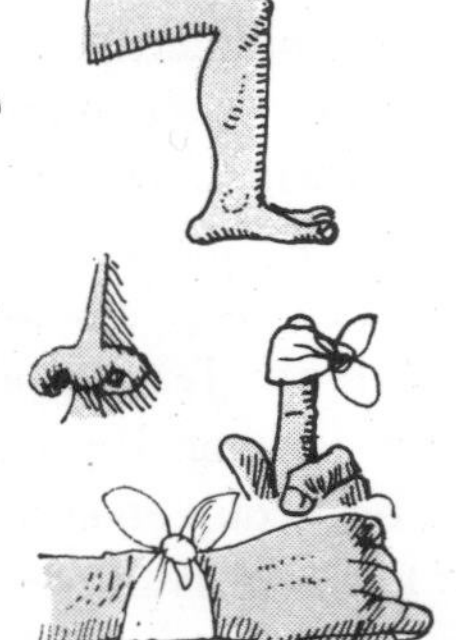

Et Paul? ...

Et Hélène?

Et Denise?

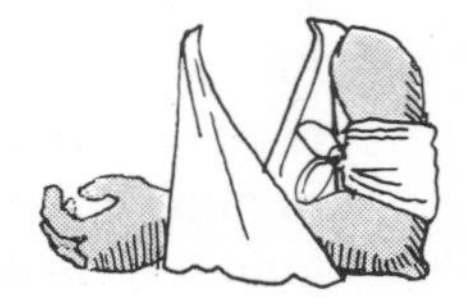

Et Marcel?

Et Nadine?

I said you shouldn't have married him!

LUNDI	Maman, je vais divorcer. Toni vient de me faire des reproches.	Quoi, il t'a fait des reproches, cet individu!
MARDI	m'injurier	ce grossier personnage!
MERCREDI	me faire une scène affreuse	ce sauvage!
JEUDI	me donner une gifle	ce monstre!
VENDREDI	me casser la figure	cette brute!
SAMEDI	me tromper	ce goujat!
DIMANCHE	me quitter	ce salaud!

unit 17

aujourd'hui	l'année dernière
j'entre	j'*entrai*
je choisis	je *choisis*
j'ai une impression	j'*eus* une impression
nous nous précipitons	nous nous *précipitâmes*
nous entendons	nous *entendîmes*
nous avons un moment de peur	nous *eûmes* un moment de peur
nous voyons	nous *vîmes*
nous prenons	nous *prîmes*

Premier vol

le vol flight

Douvres. J'entrai pour la première fois dans la gare des aéroglisseurs. J'eus une impression d'aéroport peu fréquenté, d'un petit aéroport de province — du Touquet, par exemple. L'idée n'était pas tout à fait désagréable. J'achetai mon billet à une très jolie fille, et je passai vite la douane, presque sans formalité. Toujours bonne impression. Le magasin hors taxe avait un bon choix d'alcools: j'en choisis jusqu'à la limite permise et retournai dans la salle d'attente. Je m'approchai des grandes fenêtres qui donnaient sur le parking. Il y avait quelques files de voitures, mais pas beaucoup en comparaison des longues queues qui se forment toujours avant l'embarquement des car-ferry. Toujours cette impression de petit aéroport de province. Nous étions peut-être vingt personnes dans la salle d'attente.

Douvres Dover
l'aéroglisseur hovercraft
l'aéroport airport
peu not very
fréquenté busy
la douane customs
hors taxe duty-free
permis permitted
la salle d'attente waiting room

Et puis, soudain, la première impression désagréable. Un bruit qui venait de la mer, une sorte de grondement. Nous nous précipitâmes tous vers les portes qui donnaient sur le grand espace de béton devant l'hoverport.

le grondement rumbling
se précipiter rush
le béton concrete

Le monstre arrivait. Nous vîmes un nuage d'écume qui s'approchait, nous entendîmes le bruit croissant des moteurs, nous eûmes un moment d'incrédulité, presque de peur, quand le monstre sortit de l'eau et continua sur le béton son chemin vers nous. Il s'arrêta et se laissa retomber sur la terre comme une poule sur ses œufs. De son ventre émergèrent hommes et voitures, et cinq minutes plus tard nous les remplaçâmes.

l'écume foam; spray
croissant growing
le chemin way
retomber fall back
la terre ground
la poule hen
remplacer replace

Je trouvai une place dans l'hovercraft près de la fenêtre. Il n'y avait pas beaucoup à voir, la fenêtre était très sale. On n'avait plus l'impression d'un vol en avion, malgré la présence des

malgré in spite of

hôtesses, peu nécessaires pour ces trois quarts d'heure de voyage. Je regardai autour de moi. Cela avait plutôt l'air d'un bus ou d'un autocar, pas trop neuf, pas trop luxueux. Le bruit recommença. Pas si fort qu'avant, mais très désagréable. Comme si on voyageait dans un aspirateur énorme. Et puis nous partîmes. Nous traversâmes le béton et prîmes nonchalamment le large. Ce n'était pas la peine d'avoir trouvé une place près de la fenêtre — l'écume était impénétrable — je ne voyais absolument rien. Et puis la machine commença à sauter, d'un mouvement qui laissa mon estomac en l'air à cinq mètres au-dessus de ma tête. On voyageait dans un aspirateur sur les montagnes russes. Je me sentis très malade. Mal de mer? Mal de l'air? Je trouvais la différence peu importante.

On entendit la voix du capitaine dans les haut-parleurs, à peine compréhensible au-dessus du bruit. On allait sombrer? On n'allait jamais regagner la France? Non — il disait que nous nous approchions de Boulogne. Cinq minutes plus tard nous traversâmes un espace de béton exactement comme celui de Douvres, le monstre s'assit et nous en sortîmes. Enfin, la douce France! Quelle joie inexprimable d'être à nouveau sur la terre, la terre de France. Je regardai autour de moi. Des grues. Des terrains vagues. De vieux hangars. Une voiture abandonnée. Un chien sale. La douce France? Mais oui! Après ce voyage affreux, la douce, douce France!

autour de around
fort loud
l'aspirateur vacuum cleaner
prendre le large take to the open sea
l'estomac stomach
au-dessus de above
les montagnes russes roller coaster
se sentir feel
le haut-parleur loudspeaker
à peine scarcely
sombrer sink
doux (f: **-ce**) sweet; gentle
inexprimable inexpressible
à nouveau once again
la grue crane
le terrain vague (piece of) waste land
le hangar shed

Why was the author taking a particular interest in his surroundings?
What did the hoverport initially remind him of?
Did he find this unpleasant?
What continued the initial good impression?
What could he see on the car park? How was this different from the ferry terminal?
What exactly was his first disagreeable impression?

What could be seen of the hovercraft to begin with?
At what point did the onlookers feel almost afraid?
To what does the author compare the subsiding hovercraft?
Describe the hovercraft interior. To what does the author compare it?
What is his opinion of the hostesses?
Why wasn't it worth having found a window seat?
What effect did the pitching have on the author?
To what does he compare the craft's motion?
What was his initial reaction when he heard the captain's voice over the loudspeaker?
What was his reaction to their arrival in France?
What were the first things he saw there?
Do you think his reaction was justified?

Rewrite the third paragraph of the text using the perfect instead of the past historic as the narrative tense. Begin:

Le monstre arrivait. Nous avons vu . . .

Past historics — write as **je**

Il eut une impression désagréable.
Il vit un nuage d'écume.
Il s'approcha des grandes fenêtres.
Il entendit le bruit des moteurs.
Il sortit de l'eau.
Il se précipita vers la porte.
Il partit cinq minutes plus tard.
Il prit sa place.

write as **nous**

Je me levai à six heures et demie.
Je pris mon petit déjeuner.
Je mangeai des œufs.
Je mis mes chaussures.
Je finis mon travail du matin à midi.
Je recommençai à deux heures.
J'allai à la cage du gorille.

write as **elles**

Elle descendit jusqu'à la rivière.
Elle dit bonjour.
Elle sourit beaucoup.
Elle revint à l'appareil.
Elle parut dans le séjour.
Elle considéra le paquet.
Elle fit demi-tour.
Elle fut surprise.

Pairtalk

Votre ami(e) arrive chez vous pour passer le week-end et s'aperçoit qu'il/elle a laissé sa valise chez lui/elle. Vous lui proposez qu'il/elle emprunte quelques-uns de vos propres vêtements.

Vous trouvez ça gentil, mais vous n'aimez pas tous les vêtements qu'il/elle propose. Vous acceptez les uns, vous rejetez les autres — mais avec tact!

Write what Georges did

unit 18 revision

Grammar

1 Je t'attends depuis une demi-heure.
— I *have been waiting* for half an hour.
Nous habitons Bordeaux depuis la mi-septembre.
— We *have been living* in Bordeaux since the middle of September.

With **depuis** meaning *for* or *since* (+time) French uses a present tense where English uses a perfect.

Elle était professeur depuis deux mois.
— She *had been* a teacher for two months.

Where English uses a pluperfect (i.e., *had been*), French uses an imperfect. With **depuis** the French tense is one stage nearer the present than the English tense would be.

This does not apply, however, in the negative:

Je ne l'ai pas vu depuis Noël.
— I *haven't seen* him since Christmas

Here French uses a perfect just as English does.

2 Note the three different ways *for* + time is expressed in French:

Vous êtes ici pour longtemps?
— *for a long time?*
Time stretching from now into the future.

Nous étions là pendant deux semaines l'année dernière.
— *for two weeks*
A completed period set back entirely in the past.

Nous sommes ici depuis trois jours.
— *have been here for three days* (*and still are here*)
A period starting in the past and running right up to the present moment.

Elle travaillait là depuis un an quand elle a eu son accident.
— *had been working there* (*and still was*)
A period starting back in the past and running right up to the moment in the past we are talking about.

The last two constructions (with **depuis**) are the most important.

le début beginning
le patron boss
le concours contest
l'avenir (m) future
le toit roof
le vol flight
l'aéroport (m) airport
le choix choice
le béton concrete
le nuage cloud
le chemin way
l'aspirateur (m) vacuum cleaner
le mouvement movement
l'estomac stomach
le mal de mer, de l'air sea, air sickness
le capitaine captain
le hangar shed
l'espace (m) space

la mi-septembre middle of September
la réclamation complaint
la félicitation congratulation
l'écharpe (f) scarf
la naissance birth
la grippe flu
la nièce niece
l'échelle (f) ladder
la cuisinière cooker
la roue wheel
la douane customs
la salle d'attente waiting room
la terre ground
la poule hen
la joie joy
la messe mass

dormir sleep
se passer happen
s'excuser apologize, be sorry
chanter sing
avaler swallow
injurier insult
tromper deceive
étaler spread out
se précipiter rush
remplacer replace

3 Je viens de recevoir ta lettre.
— I *have just* received
Je venais de recevoir l'invitation.
— I *had just* received.

Venir de + infinitive means *have just*. As with **depuis** (see 1 above) the present tense in French here corresponds to the perfect in English and the imperfect in French to the pluperfect in English.

4 The past historic

Here is the complete tense:

-er verbs

écouter	
j'écoutai	nous écoutâmes
(tu écoutas)	(vous écoutâtes)
il écouta	ils écoutèrent

-re and **-ir** verbs and most irregular verbs

attendre	
j'attendis	nous attendîmes
(tu attendis)	(vous attendîtes)
il attendit	ils attendirent

a few irregular verbs, mostly ending in **-oir** or **-oire**

recevoir	
je reçus	nous reçûmes
(tu reçus)	(vous reçûtes)
il reçut	ils reçurent

venir, tenir and their compounds

venir	
je vins	nous vînmes
(tu vins)	(vous vîntes)
il vint	ils vinrent

The **tu** and **vous** forms are added here for completeness, though they are virtually never met. Since the past historic is only used for written narrative and most written narrative is in the third person, the **il** and **ils** forms are by far the most common.

The past historic endings are normally added to the present tense stem. Where, with some irregular verbs, this is not the case the verb is none the less almost always immediately recognizable.

se sentir feel
sombrer sink
s'apercevoir realize
permettre permit

soi-disant so-called
meilleur best (*adj.*)
en route on the way
en plus in addition
juste just
toutefois however
tout à fait completely
bouleversé taken aback
toutes sortes de all sorts of
peu not very
fréquenté busy, crowded
désagréable unpleasant
en comparaison de in comparison with
malgré in spite of
autour de around
fort loud
au-dessus de above
malade ill
à peine scarcely
doux (f: **-ce**) gentle, sweet

Here are the past historics of the most common irregular verbs:

avoir	j'eus	faire	je fis
boire	je bus	lire	je lis
conduire	je conduisis	mettre	je mis
connaître	je connus	partir	je partis
courir	je courus	prendre	je pris
croire	je crus	recevoir	je reçus
dire	je dis	savoir	je sus
devoir	je dus	venir	je vins
écrire	j'écrivis	vouloir	je voulus
être	je fus		

5 **Partir**-type verbs

partir	**dormir**	**sortir**
se sentir	**mentir**	**(se) servir**

This small group of common **-ir** verbs, all of which we have now met in one form or another, follow the same model:

present	je pars	nous partons
	tu pars	vous partez
	il part	ils partent
perfect	je suis parti (partir, sortir *and the reflexives take* être)	
imperfect	je partais	
past historic	je partis	

Similar to this group of verbs, though not quite identical, is **courir**:

present	je cours	nous courons
	tu cours	vous courez
	il court	ils courent
perfect	j'ai cour**u**	
imperfect	je courais	
past historic	je cour**us**	

a Complete

Je t' ...... depuis deux heures. (had been waiting)
Nous ...... à Paris depuis décembre. (have been)
Les Duhamel ...... en face de nous depuis deux ans. (had been living)
Tu ...... depuis longtemps. (have been sleeping)
Je ...... Michèle depuis trois mois. (haven't seen)
Papa ...... depuis deux heures et demie! (has been eating)

b Translate

We are here for a week.
I haven't seen him for two months.
She has been waiting for an hour.
He was there for fifteen minutes.
They had been living in Paris for two years.
They lived in Paris for two years.

c Things have (or had) just been done

Il va chercher sa carte de crédit?
— Non, il vient de la chercher.

Elle va prendre son petit déjeuner?
Vous allez faire la lessive?
Il allait sortir quand tu es entré?
Elle allait faire ses achats au supermarché?
Vous alliez visiter le docteur?

d Which of these verbs are in the past historic?

j'	écoutai	nous	finissons
ils	considèrent	il	fut
je	fis	nous	eûmes
il	attendit	ils	prirent
elle	mangea	vous	dites
je	peux	elles	considérèrent
ils	reçurent	elle	finit

e Construct sentences

Ton père — partir — hier à midi.
Vous — sortir — immédiatement?
Ta sœur — mentir — toujours.
Il n'a pas gagné — mais — bien — courir.
Je — se sentir — mieux — quand le médecin est arrivé.
Voici — la viande — servir — toi!
Elle — dormir — bien — cette nuit.

f Rewrite this passage as if you were Pierre. Begin: J'arrivai . . .

Pierre arriva devant l'auberge de jeunesse vers six heures du soir.

« Laisse la bicyclette derrière la maison avant de t'inscrire », dit le père aubergiste qui se tenait à la porte. Pierre poussa son vélo derrière l'auberge et défit ses paniers. Puis il revint à la porte d'entrée.

« Dix francs la nuit. Tu as ta carte? » demanda le père aubergiste.

Pierre sortit une pièce de dix francs et la donna à l'homme, puis il chercha sa carte. Il ne put pas la trouver d'abord. Enfin il la trouva dans la poche de son anorak.

« La voilà, dit-il.

— Bon. Le dortoir des garçons est au premier étage. Tu fais ta propre cuisine?

— Non, » dit Pierre. Il fut un peu surpris de la question. « Il n'y a pas de repas tout faits? demanda-t-il.

— Mais si, dit l'autre. A sept heures. Tu restes combien de temps?

— Deux nuits », répondit Pierre, car il repartait vendredi.

une auberge de jeunesse youth hostel
s'inscrire register
le père aubergiste warden
le vélo bike
défaire unfasten
le panier pannier
le dortoir dormitory
l'étage floor
tout fait ready made

g Write two sentences about each of these photographs. The vocabulary below may help.

à sens unique
un vélo
devant la pharmacie

une rue étroite
un bar
sur le trottoir

attendre
la valise
dormir

un car
pleuvoir
faire du soleil

le parking
l'hypermarché
pour faire ses achats

un quai
les voyageurs
arriver

h Translate

Peter took the train at Victoria[1] Station at half past seven in the morning and arrived at Dover at eleven o'clock. He passed quickly through[2] the customs and went out on to the quay[3]. The boat was waiting. He went up the gangway[4] and found a seat near the bar[5]. At noon the boat left[6] Dover and almost immediately Peter felt ill. He went to the bar and bought a large brandy[7] and swallowed it. It was a great error[8]: before one o'clock Peter was suffering terribly[9] from[10] seasickness.

[1] de Victoria [2] *no 'through' in French* [3] le quai [4] la passerelle [5] le bar [6] *not* laisser! [7] un cognac [8] une erreur [9] terriblement [10] de

VOCABULAIRE EXTRA

Dans la rue

traverser
tourner à gauche, à droite, le coin
pousser
conduire
rouler en
s'arrêter à
repartir *set off again*
monter à bicyclette *cycle*
aller à pied
faire des achats

unit 19

Un malentendu

Marie-France et Simon sont devant le camping et ne savent que faire. Leur père, leur mère, la voiture et tout l'équipement de camping ne sont pas là.

Ils devaient arriver à midi, mais il est maintenant une heure et quart. Marie-France est très inquiète, Simon aussi. Ils ont très peu d'argent.

Marie-France a l'idée de téléphoner à la maison pour savoir si leurs parents sont déjà partis. Ils cherchent une cabine.

Le téléphone sonne à la maison, mais personne n'y répond. Les enfants s'inquiètent beaucoup.

Marie-France et Simon sortent de la cabine. Ils ont tous les deux la même idée — un accident de voiture. Est-ce qu'ils doivent téléphoner à la police?

Puis soudain, voilà la voiture qui arrive enfin. Et les parents sont dedans, sains et saufs. Ils n'ont pas eu d'accident.

« Nous avons seulement vingt minutes de retard, dit leur père. Nous avons donné rendez-vous pour une heure.

— Vrai ? dit Marie-France. Moi, je pensais midi ! »

Les enfants sont très soulagés. Heureux, ils aident leur père à décharger la voiture et à monter la tente.

Image nº 1 — Où sont Marie-France et Simon ?
Qui n'est pas là ?
Que dit Marie-France ?

Image nº 2 — Les parents devaient arriver à quelle heure ?
Quelle question pose Marie-France ?

Image nº 3 — Que dit Marie-France ?
Pourquoi veut-elle faire cela ?
Que font les enfants ?

Image nº 4 — Qui répond au téléphone ?
Que dit Simon ?

Image nº 5 — Que dit Marie-France ?
Qu'est-ce que les enfants doivent faire maintenant ?

Image nº 6 — Qui arrive ?
Que dit Simon ?
Que dit Marie-France ?

Image nº 7 — Qu'est-ce que leur père répond ?
Que dit leur mère ?
Qui a dû se tromper ?

Image nº 8 — Comment sont-ils, les enfants ?
Que dit Marie-France ?
Et qu'est-ce qu'ils font ?

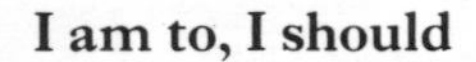

I am to, I should

Et moi? — Tu dois chercher une

Et Jean?

Et nous autres?

Et toi?

Et les filles?

Et toi et moi?

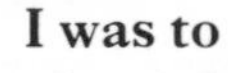

I was to

Et moi? — Tu devais arriver à

Et tes parents?

Et Paul?

Et mon père et moi?

Et toi?

Et tes frères?

Et nous deux, toi et moi?

I must

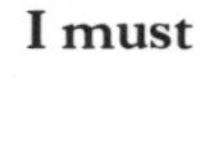

Moi, je dois être en Espagne.

Eux, ...

Vous, ...

Elles, ...

Toi, ...

Nous, ...

I must have

J'ai dû me tromper de ……

The real reason

Madame Leblanc explains to the children why they arrived twenty minutes late.
(put the verbs in the perfect)

Voilà, mes enfants. Nous (**partir**) à temps, et votre père (**décider**) de prendre l'autoroute pour faire plus vite. Mais nous (**voir**) une voiture en panne, le capot levé, et une jeune fille en larmes assise à côté. Elle était si jeune et si jolie que votre père (**vouloir**) s'arrêter pour l'aider. Je ne suis pas mécanicienne, et votre père me (**dire**) de rester dans la voiture. Il (**aller**) voir s'il pouvait faire quelque chose pour la demoiselle en détresse.

« Laissez-moi faire, (**crier**) votre père. Les moteurs, ça me connaît », et je (**pouvoir**) remarquer que la jolie jeune fille (**commencer**) à sourire. Mais votre père (**être**) incapable de réparer la voiture et il (**devoir**) finalement l'avouer.

A ce moment une Ferrari (**arriver**) et un beau jeune homme en (**descendre**). Il (**saluer**) la demoiselle, (**examiner**) le moteur et en cinq minutes tout était réparé. Notre jeune beauté n'avait d'yeux que pour lui, et votre pauvre papa (**remonter**) dans notre vieille voiture, tout rouge de confusion. Moi, je ne rien (**dire**). Puis, cinq minutes après, il (**se mettre**) à sourire.

unit 20

Do I have to?

Il faut ......

Il faut remplir la fiche?

You don't have to

Il faut acheter ce classeur?
—Non, il n'est pas nécessaire de l'acheter.

laver la voiture
couper le pain
prendre mon parapluie
téléphoner à Marie
fermer la fenêtre
parler aux autres
payer mes impots
penser à l'argent

You mustn't!

Je peux nager dans la rivière?
—Non, il ne faut pas y nager!

allumer la télé
prendre l'autoroute
donner à manger au chat
pousser ce bouton
stationner ici
embrasser ta femme

Répondez à Isabelle

Paris, le 3 mai

Chère Annie,

J'attends ma visite chez toi samedi prochain avec beaucoup de plaisir. A quelle heure dois-je arriver chez toi? Est-ce qu'il faut prendre l'autoroute? Si je la prends, où est-ce qu'il faut la quitter? A Orléans? Et est-ce que je dois manger en route? Tu parles dans ta lettre d'une partie de tennis — est-ce qu'il faut apporter une raquette?

Affectueusement,

Isabelle

Qui parle à qui?

You'll hear each conversation twice. Then write down just **a**, **b** or **c** according to which you think is the most likely combination of people speaking. The text of the conversations is on the next page, but don't look at it until you've answered all the questions.

1 **a** A diner at a restaurant and a waiter
 b A petrol pump attendant and a driver
 c A guest and a hotel receptionist

2 **a** A rider and a riding school instructor
 b A camp-site manager and a camper
 c A passenger and a bus conductor

3 **a** A Roman soldier and an officer
 b A customer and a supermarket attendant
 c A swimmer and a swimming bath attendant

4 **a** A map salesman and a cyclist
 b The proprietor of a bicycle repair shop and a customer
 c A youth hostel warden and a hosteller

5 **a** A hovercraft traveller and a ticket seller
 b A motorist and a parking meter attendant
 c A rail passenger and an enquiry office attendant

6 **a** A record shop salesman and a customer
 b A shoe shop salesman and a customer
 c A clothes shop salesman and a customer

1 — Il faut remplir la fiche immédiatement?
— Non, ce n'est pas nécessaire, monsieur. Vous prenez le petit déjeuner dans votre chambre?

2 — Il y a un emplacement libre?
— Ah oui, bien sûr. Vous pouvez la monter là-bas, si vous voulez.

3 — Il faut prendre un chariot?
— Oui oui, monsieur, vous le prenez ici et en partant vous le déposez par là.

4 — Laisse ta bicyclette là et viens t'inscrire. Tu as ta carte?
— Oui, bien sûr. Il faut payer d'avance?
— Ah oui. Quinze francs la nuit.

5 — Douvres, aller et retour. Le trajet dure combien de temps?
— Quarante minutes, monsieur.
— C'est rapide. Où est le magasin hors taxes?
— Par là, monsieur.

6 — Mademoiselle désire?
— Il me faut des bottes marron, style cowboy.
— Oui mademoiselle. Quelle pointure chaussez-vous?
— Du trente-sept.

Pairtalk

Vous faites la cuisine aujourd'hui. Faites une liste des choses qu'il faut acheter, puis demandez à votre frère/sœur de les acheter pour vous.

Vous êtes le frère/la sœur. Demandez-lui où il faut acheter chaque chose qu'il/elle a sur sa liste, et ce que ça va coûter.

unit 21

Un sport dangereux

« C'est un sport curieux.
— C'est tout de même le sport préféré d'un grand nombre de Français. Tu ne veux pas m'accompagner pour une fois?
— Je te l'ai déjà dit — c'est dangereux, je ne veux pas m'en mêler. »

Monsieur Grandjean père et son fils Henri prenaient le petit déjeuner dans la cuisine de leur HLM à Tours. Contre la chaise à côté d'Henri il y avait un beau fusil de chasse, que Monsieur Grandjean père regardait avec méfiance.

« Il y a encore du café dans la cafetière, dit Madame Grandjean. Je t'en sers encore?
— Oui, je veux bien . . . Pourquoi pas le rugby? Ou le football ou le cyclisme? Ou même le ski? Pourquoi la chasse? Pourquoi donc un sport si dangereux?
— Mais enfin, papa, ce fusil n'est pas dangereux. Je m'y connais. Regarde, je te le montre . . .
— Tu me l'as déjà montré. C'est pas ton fusil, c'est les fusils des autres qui m'inquiètent! Tu vas partir un de ces jours à la chasse aux oiseaux, et puis l'oiseau qu'on rapportera ce jour-là, ce sera toi!
— Enfin, dit Henri, je m'en vais. Retour ce soir à six heures sain et sauf . . . »

Et il sort, portant son fusil.

« Bah, dit Monsieur Grandjean. Que faire? Je l'ai prévenu vingt fois.
— Tu lui en parles peut-être trop souvent.
— Oh, voyons . . . Enfin, je sors, moi aussi. Je vais faire une partie de boules sur le square avec Jean-Luc et les autres. »

A six heures Henri rentra portant deux faisans. Il les mit sur la table.

« Voilà, quelque chose pour la marmite demain. Et on ne m'a pas tué, moi. Me voilà sain et sauf, comme promis. »

tout de même all the same
se mêler de have something to do with
une HLM council flat
la chasse hunting, shooting
la méfiance distrust
la cafetière coffee pot
se connaître à know all about
un oiseau bird
rapportera will bring back
sera will be
le retour return
que faire what am I to do
le faisan pheasant
la marmite pot
tuer kill

Le père Grandjean ne répondit rien. Il était assis à la table.

« Mais qu'est-ce que tu as enfin, papa?

— Regarde donc son pied, dit Madame Grandjean.

— Ton pied? » dit Henri. Son père sortit lentement son pied droit de dessous la table et le lui montra. Il était couvert d'un moule en plâtre.

« Mais bon Dieu, qu'est-ce que tu t'es fait?

— Bon ben, je sais que tu vas rigoler. Cet imbécile de Jean-Luc — il a lancé une boule directement sur mon pied et il me l'a cassé!

— Mais non, papa, je ne rigole pas, dit Henri, qui étouffait presque de rire. Mais les boules, vois-tu, c'est un sport vraiment dangereux. Moi, je continue avec la chasse! »

de dessous from under
le moule en plâtre plaster cast
lancer throw
étouffer de choke with

What sport did Monsieur Grandjean think was odd?
What response did Henri make to this?
What sort of look did Monsieur Grandjean give his son's gun?
What alternative sports did Monsieur Grandjean suggest to his son?
Monsieur Grandjean said he was not worried by his son's gun. What did worry him, then?
In what condition did Henri intend to return home?
Why did Monsieur Grandjean go out?
At what time did Henri return? What had he bagged?
What was wrong with Monsieur Grandjean's foot?
How had this happened?
Did Henri think this funny? What was his comment?

I sent you everything

Et la lettre?
— Oui, c'est moi qui te l'a envoyée.

Et les cartes postales?
Et le télégramme?
Et les gros paquets?
Et le mandat poste?
Et la carte de Noël?
Et les roses rouges?

Anything to get rid of that tramp

Faut-il prendre 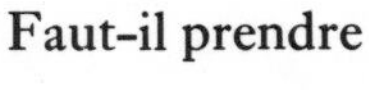 ? — Oui, je vous les donne!

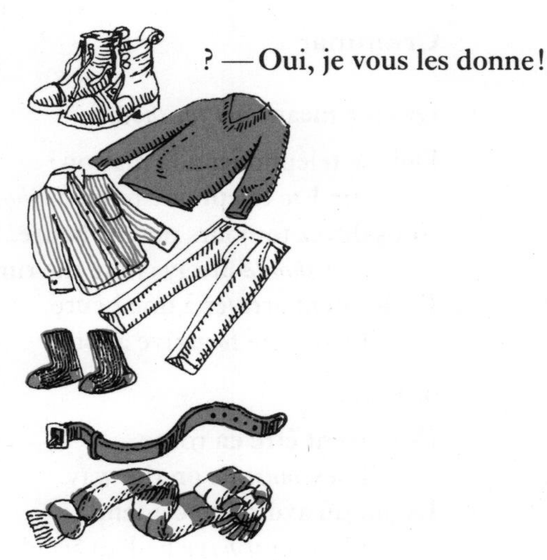

It's already done

Raconte-lui ton histoire!
— Je la lui ai déjà racontée.

Dis-lui la date!
Donne-lui les cartes!
Montre-lui ton fusil!
Sers-lui son repas!
Rends-lui les lunettes!
Envoie-lui son argent!

Who gets great-grandfather's cash?

Nous tous?
— Non, je ne vous en donne pas!

Ma sœur Hélène?
Ses enfants?
Moi?
Ta femme?
Tes propres enfants?
Le percepteur des impots?

Précis

The text of this unit has a good deal of casual dialogue in it. The basic story can be written as narrative in about 100 words. Listen to the original text twice more and then see if you can manage to tell the story, with the help of the following framework but without looking back, in 100 words or less.

Monsieur Grandjean père — Henri — prendre le petit déjeuner — parler de — le sport préféré — la chasse aux oiseaux — dangereux — partir — jouer aux boules.

Le soir — rentrer avec deux faisans — le pied droit — couvert d'un moule en plâtre — Jean-Luc, un des joueurs — lancer — directement — casser — un sport vraiment dangereux.

unit 22 revision

Grammar

1 **Devoir** means *am to*, *should*:

Dois-je téléphoner à la maison?
— *Am* I *to* telephone home? *Should* I telephone home?
Vous devez toujours noter l'heure.
— You *should* always note the time.
Ils devaient arriver à une heure.
— They *were to* arrive at one.

or *must*:

Ils doivent être en route.
— They *must* be on the way.
Ils ont dû avoir un accident.
— They *must have* had an accident.

Notice that the normal past tense in the meaning *were to* is imperfect and in the meaning *must have* is perfect.

2 **Devoir** (*must*, *should*) or **falloir** (*must*, *have to*)?

je dois, etc. implies obligation, inner conviction
il faut implies necessity, force of outward circumstances.

3 Note that **être nécessaire** is an alternative to **falloir** in the positive but not in the negative:

Il faut remplir cette fiche.
Il est nécessaire de remplir cette fiche.
Both of these mean *You must fill in this form* or *You have to fill in this form*. But:

Il ne faut pas remplir cette fiche!
means *You mustn't fill in this form!*

Il n'est pas nécessaire de remplir cette fiche.
means *You don't have to fill in this form.*

4 Order of object pronouns before the verb

The full order is:

me				
te	**le**	**lui**	**y**	**en**
se	**la**	**leur**		
nous	**les**			
vous				

l'impot (m) tax
le camping camp site
l'équipement (m) gear
l'agenda (m) diary
le malentendu misunderstanding
l'emplacement (m) site
le pardessus overcoat
le trajet journey
le sport sport
le nombre number, quantity
le rugby rugby
le cyclisme cycling
le retour return
l'oiseau (m) bird
le square (town) square
le faisan pheasant
le mandat poste postal order
le télégramme telegram
le joueur player
le percepteur (tax) collector
le (la) mécanicien(ne) mechanic

la cabine kiosk
la partie game, match
la chasse shooting, hunting
la méfiance distrust
la cafetière coffee pot

décharger unload
monter put up
attendre avec plaisir look forward to
durer last
se mêler de get involved in
avouer admit
se connaître à know all about
inquiéter worry
rapporter bring back
tuer kill
lancer throw
étouffer choke
saluer greet; say hello

en tête in mind
dedans inside
sain et sauf safe and sound
soulagé relieved
affectueusement affectionately; love . . .
là-bas over there

Two pronouns before a verb always occur in this order.

The most common combinations are:

me (etc.) + le/la/les
le/la/les + lui/leur
me (etc.) + en
lui/leur + en

The **ne** of the negative is placed before both object pronouns:

Il ne me l'a pas dit.

par là that way, over there
d'avance in advance
tout de même all the same
que faire? what shall I do?
de dessous from under

5 **Recevoir**-type verbs

A small group of verbs follow the **recevoir** model.
The commonest of these are:

recevoir	décevoir
s'apercevoir	apercevoir (*catch sight of*)

The model they follow is:

present	je reçois	nous recevons
	tu reçois	vous recevez
	il reçoit	ils reçoivent
perfect	j'ai reçu	
imperfect	je recevais	
past historic	je reçus	

Notice the similarity of this group to **devoir**.

a Shorten these sentences by using pronouns

Elle m'a envoyé le paquet
— Elle me l'a envoyé.

Il nous a donné des bonbons.
Elle le demande à son mari.
Elle lui rend son argent.
On vous a réparé le vélo.
Il leur vend des billets.
Elle lui a raconté ces histoires.
Il en montre à son père.
Elle leur a servi ce dîner magnifique.
Nous en envoyons à nos grands-parents.
Je lui ai dit ce que j'en pensais.

b Il m'a dit la vérité?
— Non, il ne te l'a pas dite.

Il lui a demandé l'heure?
Il vous a pris vos montres?
Il leur a montré des photos?
Il t'a caché la lettre?
Il l'a donné à ses parents?
Il s'est mêlé de la conversation?

c Use the appropriate part of **devoir** or **falloir** to complete

...... partir à midi. We must (*or we'll miss the train*)
...... écrire à grand-maman. I must (*poor dear, she's hoping for a letter*)
...... attendre devant le Rex. He must have (*been waiting*)
...... être à Paris demain. We are to
...... être à Paris demain. We must (*we have someone to see there*)
...... rentrer à six heures. You were to (*and you didn't!*)
...... toujours téléphoner le soir. You should

d Construct sentences

Je — recevoir — votre très gentille invitation — hier.
Marseille — perdre — le match — et mon père — était — décevoir.
Il — apercevoir — son parapluie — dans — vestibule — et alla le prendre.
Elles — recevoir — toujours — beaucoup — fleurs — après — représentation.
Ce film — on a vu hier — me — décevoir — beaucoup.
Le dentiste — s'apercevoir — enfin — je portais des fausses dents.

e Translate

Mrs Grandjean poured a cup of coffee for her husband, put the coffee pot on the draining board[1], pulled a chair from under the table, sat down and said:

'Henri doesn't like[2] sport.'

'I know[3]', said her husband, who was reading his paper.

'He doesn't play[4] rugby. He doesn't go[5] cycling. He does nothing.'

'He shoots', said Mr Grandjean.

'That's[6] a sport? We must find something for him.'

'He plays tennis.'

'Only in summer. We must find something for him in winter.'

'We really don't[7] have to. And I want to read my newspaper. Henri is completely happy as he is[8].'

[1] l'égouttoir [2] *add* le [3] *trans:* I know it [4] jouer au [5] faire du [6] ça, c'est
[7] vraiment pas [8] comme ça

f C'est le bureau de qui?
Qu'est-ce qu'on fait ici?
Quand est-ce qu'on peut le faire?

le gilet vest
la baisse price cut
les sous-vêtements (m) underwear

Vous achetez un gilet, un slip et un tee shirt pour vous (ou pour votre mari!).
Qu'est-ce que vous choisissez?
Qu'est-ce que ça coûte au total?
Qu'est-ce que ça a coûté avant la baisse?

Qu'est-ce que c'est?
Qu'est-ce que vous achetez?
Et aussi?
Qu'est-ce que vous dites au marchand?

VOCABULAIRE EXTRA

La ville

se trouver
à gauche, droite de
en face (de)
devant, derrière
de l'autre côté de
tout près de
prenez la deuxième rue à gauch
en sortant de
laisser la voiture
traverser
tourner
aller tout droit *go straight on*

unit 23

VILLE D'HESDIN
FÊTE COMMUNALE

SAMEDI 4 SEPTEMBRE 1976

21 heures : **Retraite aux Flambeaux** avec le concours du Réveil Musical et la Compagnie des Sapeurs Pompiers

DIMANCHE 5 SEPTEMBRE

de 9 h. à 12 h. 30 Café de la Revanche **CONCOURS DE TIR** (Stand de l'O. H. M.)

10 h. 30 : **ANNIVERSAIRE DE LA LIBÉRATION**

Place d'Armes : Rassemblement des Sociétés Locales en présence de la Municipalité, suivi d'un dépôt de gerbe aux Monuments aux Morts

11 h. : Église Notre-Dame : **MESSE SOLENNELLE** avec le Concours de la Chorale Mixte de Bousbecque

à partir de 9 h. 30 Salle des Sports : **TOURNOI DE BASKET**

avec les équipes de : MONTREUIL-SUR-MER, ANDRES, AIRE-SUR-LA-LYS et HESDIN

14 h. : *Match de classement pour les 3me et 4me places*

17 h. : **FINALE DU TOURNOI**

18 h. 30 : REMISE DES COUPES

à partir de 14 h. **ATTRACTIONS FORAINES** (*Quartier de la Gare*

21 h. Café de la Revanche : **BAL**

LUNDI 6 SEPTEMBRE

de 10 à 12 h. Place d'Armes CONCOURS DE BALLONNETS

10 h. Café Dugué **CONCOURS DE JAVELOTS**

10 h. 30 Église Notre-Dame : OFFICE POUR LES DÉFUNTS DE LA PAROISSE

15 h. Salle Rue Henri Catteau : **CONCOURS DE CARTES** (Manille et Belote)

15 h. Piscine Municipale : *BREVETS DE NATATION - JEUX NAUTIQUES*

16 h. Café de la Revanche : Concours de Tir à l'Arbalète

MARDI 7 SEPTEMBRE

16 h. : COURSE CYCLISTE **Grand Prix de la Ducasse**

21 h. Stade Municipal : **GRAND FEU D'ARTIFICE**

● Pendant toute la durée de la Fête, *Quartier de la Gare* ATTRACTIONS FORAINES, *Place Garbe* CINÉMA FAMILIA ●

Ouverture des débits de boissons autorisée jusqu'à 2 heures

Les habitants sont invités à pavoiser aux couleurs Nationales et Locales

Gérard PATOUX

aujourd'hui . . .	**demain . . .**
je reste	je resterai
tu joues	tu joueras
on rit	on rira
nous sommes	nous serons
vous êtes	vous serez
ils sont	ils seront

La grosse caisse

« Tu appelles ça faire de la musique?

— Ben non, mais au Réveil Musical on avait besoin de quelqu'un pour jouer de la grosse caisse, et ils ne trouvaient personne — alors je me suis offert comme volontaire. A contrecœur.

le réveil reveille (*name of band*)
la grosse caisse big drum
à contrecœur reluctantly

— A contrecœur? Heu! Je te connais, toi. Ce que tu aimes, c'est faire du bruit. Autant que possible. »

heu! huh!
autant que as much as

Denis et sa petite amie Claudette causaient sur la place d'Armes devant l'hôtel de ville d'Hesdin. Denis venait de lui raconter la nouvelle: il allait jouer de la grosse caisse pendant la fête communale. Claudette, elle, n'était pas tout à fait satisfaite de cette idée.

causer chat
la fête communale town fair

« Tu ne penses jamais à moi! Tu joueras de ta sacrée caisse pendant toute la fête, et moi je serai toute seule. D'ailleurs, la grosse caisse, c'est ridicule: tout le monde rira de toi. Et tous

d'ailleurs and another thing
tout le monde everybody

mes amis seront là. Nous serons tous les deux ridicules! Enfin non, je ne veux pas être l'amie d'un joueur de grosse caisse. Tu feras ton choix: la grosse caisse ou moi!»

Et Claudette frappa du pied et partit à travers le marché.

frapper du pied stamp
à travers through

« Il est absolument nécessaire de faire ce vacarme? » cria le père de Denis devant la porte de sa chambre.

le vacarme din

Le bruit de la grosse caisse résonnait dans tout l'appartement.

« La dame d'en bas s'est déjà plainte deux fois, continua son père. Et les voisins du dessus aussi.

— Il faut que je m'exerce! Jouer de la caisse, ce n'est pas si simple. Et c'est très important — c'est pour la fête communale, pour la retraite aux flambeaux. Vous serez tous fiers de moi! »

d'en bas underneath
se plaindre complain
du dessus upstairs
s'exercer practise
la retraite aux flambeaux torchlight procession
fier proud

« Ce sera le moment le plus important de ma vie, dit Denis à Claudette le lendemain.

— Tu es fou », dit Claudette. Elle était toujours assez fâchée. « Mais enfin . . . il y aura un bal dimanche soir . . . tu peux m'y emmener comme récompense.

— Et tu viendras me voir jouer samedi soir?

— Je ne sais pas. Je trouverai peut-être un endroit peu en vue . . . »

le lendemain the following day
fâché cross
emmener take (to)
la récompense reward
peu en vue inconspicuous

Samedi quatre septembre. Neuf heures du soir. Sur la place d'Armes le défilé était rassemblé. A la place d'honneur se tenait le Réveil Musical et au dernier rang, portant la grosse caisse, Denis. Devant et derrière eux se tenaient les porteurs de flambeaux.

Et le défilé partit.

Il n'est pas facile de jouer d'une grosse caisse en marchant, surtout la nuit. Le rythme de Denis n'était pas toujours très exact, et les autres musiciens tournaient la tête de temps en temps d'un air assez mécontent.

mécontent annoyed

Denis se concentra sur sa musique. Et c'est ainsi qu'il ne fit pas attention aux autres musiciens qui s'arrêtèrent dans le boulevard Domont. Et c'est ainsi qu'il se heurta avec la grosse caisse au dos du tromboniste, et que le porteur de flambeau qui marchait derrière Denis se heurta à lui à son tour. Et c'est ainsi qu'il ne remarqua pas l'odeur de brûlé, l'odeur d'un uniforme qui brûlait par derrière . . .

c'est ainsi that's how
à son tour in turn
brûler burn

Mais les sapeurs-pompiers, qui eux aussi faisaient partie du défilé, le remarquèrent. Avec beaucoup de sang-froid deux d'entre eux s'emparèrent de Denis dans son uniforme brûlant et le jetèrent sans cérémonie dans les eaux de la Canche, la

s'emparer de seize
jeter throw

petite rivière qui coule le long du boulevard Domont.

couler flow

Malheureusement ils n'eurent pas le temps de défaire la caisse . . .

« Le moment le plus important de ta vie! rigola Claudette le lendemain. Je n'ai jamais rien vu de plus ridicule. Toi avec ta grosse caisse, étendu sur ton dos dans la rivière et entouré de flambeaux.

étendu stretched out
entouré surrounded

— Enfin, c'est fini, dit Denis. J'en ai assez. Tu ne seras plus l'amie d'un joueur de grosse caisse, tu seras l'amie d'un ex-joueur. Allons au bal! »

Qu'est-ce que Denis fera samedi soir?
Comment Claudette trouve-t-elle cette idée?
Qu'est-ce que ses amis en penseront?
Qu'est-ce qui arrivera si Denis joue de la grosse caisse?

Que pense le père de Denis de sa musique?
Qui vient de se plaindre?
Quels seront les sentiments des parents de Denis le soir de la retraite — selon lui?

Est-ce que Claudette est toujours très fâchée? Qu'est-ce qu'il y aura dimanche soir?
Est-ce que Denis y amènera Claudette?
Est-ce que Claudette viendra le voir jouer?

Dans quel rang du Réveil Musical se tient Denis?
Qui est derrière lui?
Pourquoi les autres musiciens tournent-ils la tête de temps en temps?
Les musiciens s'arrêtent de marcher. Pourquoi Denis ne le remarque-t-il pas?
Qu'est-ce qui arrive?
Qu'est-ce qui brûle? Où?
Que font les sapeurs-pompiers?

Qui sera Claudette dès maintenant, selon Denis?
Où vont-ils le soir?

Translate into English Claudette's speech beginning:
— Tu ne penses jamais à moi!

You're a bit vague about my travel arrangements!

— Tu prendras le train de midi? — Non, je ……

— Tu voyageras en seconde? — Non, ……

— Tu auras beaucoup de bagages? — Non, ……

— Tu mangeras des sandwichs? — Non, ……

— Tu changeras de train à Lyon? — Non, ……

— Tu arriveras à trois heures? — Non, ……

— Tu seras chez moi à trois heures et demie? — Non, ……

Dimanche 5 septembre — qu'est-ce qu'ils feront?

Dimanche matin Claudette et Denis …… d'abord le concours de tir mais à 10h.30 ils …… sur la place d'Armes pour la cérémonie de l'anniversaire de la Libération. A onze heures ils …… à la messe solennelle à l'église de Notre-Dame. Ils …… à midi, et puis ils …… l'après-midi à regarder le tournoi de basket. Ils …… là jusqu'à 18h.30. Le soir ils …… au café de la Revanche et ils …… très tard.

regarder
être
assister
déjeuner, passer
rester, danser
rentrer

Plus ça change, plus c'est la même chose

Aujourd'hui tu restes au lit. Et demain? — Demain, tu ……

vous jouez du trombone
je te trouve ridicule
on rit de son mari
ils sont mécontents
nous avons beaucoup de temps

A or de?

Pierre		
tu		
tes frères		
l'équipe et moi	jouer	
vous		
je		
Marianne		

Le chef du Réveil Musical donne des instructions à ses musiciens concernant le spectacle de samedi prochain . . .

(put the verbs in the future)

Vous (être) là à vingt heures. Vous (être) à l'heure. Vous (apporter) vos instruments; vous (porter) vos uniformes. Vous (inviter) tous vos amis. Le concert (commencer) à 20 heures 30 et (se terminer) vers 22 heures. Il y (avoir) un entracte de quinze minutes, mais vous ne (boire) pas de verre! Vous ne (perdre) pas votre musique. Vous ne (oublier) pas l'excellente réputation du Réveil . . .

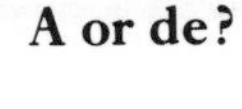

Pairtalk

Vous arrivez à Paris, vous voulez louer un appartement meublé. Faites une liste de vos désirs, puis allez voir ce que l'agence immobilière peut vous proposer.

Vous êtes employé de l'agence immobilière. Essayez de lui faire prendre un plus grand appartement!

unit 24

Bulletin météorologique pour le week-end de Pâques

Midi-Pyrénées-Méditerranée

LE TEMPS QU'IL FERA DIMANCHE ET LUNDI

Samedi 1er avril

Toutes les météos régionales concordent: il fera beau demain!

Mais laissons la parole aux bulletins météo:

● **Montpellier**: Sur l'ensemble de notre région le temps sera ensoleillé malgré quelques nuages. Les vents faibles à modérés domineront le secteur nord-ouest à ouest, surtout le matin.

● **Tarbes**: Aujourd'hui samedi temps pluvieux sur les Hautes-Pyrénées. Mais il se lèvera dimanche et lundi et deviendra beau.

● **Carcassonne**: Dans l'ensemble, le temps sera beau et doux. Les vents faibles se renforceront dimanche sur le littoral.

● **Tulle**: Pendant le week-end de Pâques le temps restera très variable sur l'ensemble du Limousin avec quelques ondées. Il y aura des éclaircies aujourd'hui samedi.

● **Foix**: Un beau temps chaud est prévu pour tout le week-end, ainsi qu'une hausse de la température.

● **Toulouse**: Lente amélioration. Pas de soleil aujourd'hui, et on notera encore quelques ondées, mais dimanche les éclaircies deviendront prédominantes. Le vent d'ouest restera modéré.

la météo weather forecast
concorder agree
laisser la parole à hand over to
pluvieux rainy
doux mild
se renforcer get stronger
le littoral coast
Pâques Easter
l'ondée heavy shower
l'éclaircie bright interval
prévoir forecast
ainsi que as well as
la hausse rise
l'amélioration improvement

Dans quelles régions verra-t-on du soleil aujourd'hui?
Où fera-t-il du vent aujourd'hui?
Où pleuvra-t-il aujourd'hui?
Où est-ce qu'il y aura parfois des nuages aujourd'hui?
Où est-ce que le temps s'améliora sensiblement dimanche?
Dans quelle région ira-t-on si on veut passer un week-end ensoleillé?

Votre horoscope

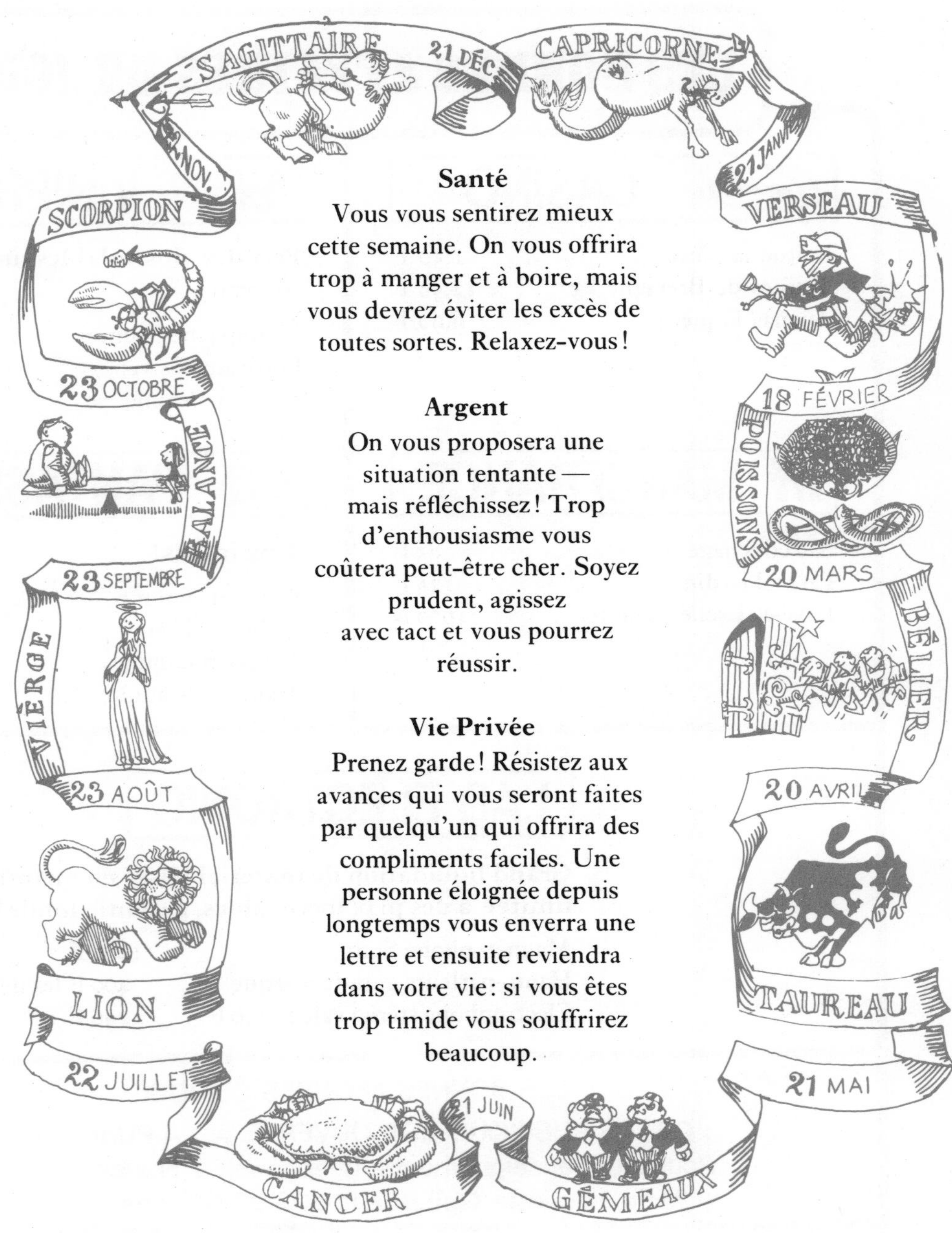

Santé

Vous vous sentirez mieux cette semaine. On vous offrira trop à manger et à boire, mais vous devrez éviter les excès de toutes sortes. Relaxez-vous !

Argent

On vous proposera une situation tentante — mais réfléchissez ! Trop d'enthousiasme vous coûtera peut-être cher. Soyez prudent, agissez avec tact et vous pourrez réussir.

Vie Privée

Prenez garde ! Résistez aux avances qui vous seront faites par quelqu'un qui offrira des compliments faciles. Une personne éloignée depuis longtemps vous enverra une lettre et ensuite reviendra dans votre vie : si vous êtes trop timide vous souffrirez beaucoup.

It's quite easy to write horoscopes. Use the above example to construct two in French, one nice and one nasty.

la santé health
éviter avoid
tentant tempting
agir act
réussir succeed
prendre garde take care
éloigné far away

Good buys!

LES BONNES AFFAIRES DU JOUR

CASINO

Laitue la pièce	1,50 F
Truites de Bretagne kg	12,50 F
Ananas la pièce	6,90 F

VINIPRIX

Prix des vins valables jusqu'au 30 avril

Champagne Mumm	39,80 F
Bordeaux Calvet '75	10,50 F
Savigny Beaune '70	23,80 F

Sac couchage	85 F
Parasol jardin	125 F
Lave-vaisselle Vedette	1600 F

Prix inouïs!

Costume femme	200 F
Robe mode été	59 F
Pantalon homme	69 F
Jean, mode adulte	89 F

LAG ELECTRONIC

Grand liquidation de matériel HI-FI en quantité limitée à des prix incroyables, garantie totale!

Magnétophone Sony	1200 F
Hauts-parleurs grande marque	400 F les deux
Électrophone stéréo valeur 400 F	299 F

LES BONNES AFFAIRES DU JOUR

CETTE RUBRIQUE EST OUVERTE A LA PUBLICITÉ

Pour tous renseignements, téléphonez à 'France-Soir' à Mme Henriette GUILBERT: 508·28·00 poste 2030

Aujourd'hui, qu'est-ce que tu achèteras?
Et où tu l'achèteras?
Et ça coûtera combien?

la laitue lettuce
la pièce apiece
le sac (de) couchage sleeping bag
la liquidation clearance
valable valid
inouï unheard of
la marque make

unit 25 revision

Grammar

1 The future tense

rester: **je resterai**, *I shall stay*

je rester**ai**	nous rester**ons**
tu rester**as**	vous rester**ez**
il rester**a**	ils rester**ont**

The endings (originally the present tense of **avoir**) are the same for all verbs and are added, in the case of regular verbs, to the infinitive.

rire: **je rirai** attendre: **j'attendrai**
-re verbs drop the final **e** of the infinitive.

With some irregular verbs the future stem differs from the infinitive. We have met the following so far:

avoir	**j'aurai**
être	**je serai**
faire	**je ferai**
aller	**j'irai**
voir	**je verrai**
(de)venir	**je (de)viendrai**
pouvoir	**je pourrai**
devoir	**je devrai**
envoyer	**j'enverrai**
pleuvoir	**il pleuvra**

The other common irregular futures are:

courir	**je courrai**
falloir	**il faudra**
recevoir	**je recevrai**
savoir	**je saurai**
vouloir	**je voudrai**

-e . . er verbs make their usual accent or consonant change throughout the future tense:

emmener	**j'emmènerai**
jeter	**je jetterai**

—except for the **-é . . er** group:

préférer	**je préférerai**

le rang rank
le bal dance
le tour turn
les bagages (m) luggage
le basket basketball
le bulletin météo; la météo weather forecast
l'ensemble (m) whole
le secteur sector

la musique music
la récompense reward
l'odeur (f) smell
la cérémonie ceremony
la parole word
la région region
Pâques (f pl) Easter
la hausse rise
l'amélioration improvement
la santé health
la situation situation, job
la laitue lettuce
la marque make

causer chat
frapper hit
se plaindre explain
s'exercer practise
emmener take (to)
se concentrer concentrate
brûler burn
s'emparer de seize
jeter throw
couler flow
étendre stretch out
entourer surround
changer de change
assister be present

éviter avoid
se relaxer relax
agir act
réussir succeed
prendre garde take care
résister resist

2 Je vais écrire.
Je rentre demain.

Aller + infinitive, or present tense + future adverb are often used in French instead of the future tense to express future happenings.

3 Je joue au tennis.
Je joue de la contrebasse.

After **jouer**, **à** is used with games and **de** with instruments.

4 **Peindre**-type verbs

A small group of verbs, some of which are common, follow the pattern of **peindre**. The commonest are:

peindre	se plaindre
(re)joindre (*join*)	atteindre (*reach*)
éteindre	craindre (*fear*)

This is the model they follow:

present	je peins	nous peignons
	tu peins	vous peignez
	il peint	ils peignent
perfect	j'ai peint	
imperfect	je peignais	
past historic	je peignis	
future	je peindrai	

quelqu'un someone
à contrecœur reluctantly
autant que as much as
tout le monde everybody
à travers across
le lendemain the following day
fâché cross
fier proud
mécontent annoyed
ainsi que as well as
selon according to
solennel (f: **-lle**) solemn
ensoleillé sunny
faible weak
modéré moderate
inouï unheard of
valable valid
la pièce apiece
pluvieux rainy, wet
parfois occasionally
prudent careful
privé private
éloigné distant
timide shy
d'ailleurs moreover

a Jobs for the boys

Nicolas sera garçon de restaurant

Mes frères ......

Nous ......

Ton ami et toi ......

Je ......

Tu ......

b Aujourd'hui il fait chaud. Demain aussi ......

il neige
il fait du vent
il pleut
il y a des éclaircies
le temps devient beau l'après-midi
il est ensoleillé

c Madame Arcarti foretells the future

« Vous ...... très heureuse. Vous ...... un beau jeune	être, rencontrer
homme. Il ...... un revenu de dix mille francs par mois et un	avoir
yacht, et il ...... un château en Dordogne. Vous ...... avec	posséder, se marier
lui et vous ...... très riche. Vous ...... faire tout ce qu'il vous	devenir, pouvoir
......, et vous ...... des choses extraordinaires. Vous	plaire, faire, voyager
beaucoup, vous ...... en Amérique et au Japon et vous ...... le	aller, voir
monde entier.	
— Vraiment? Alors, je vous ...... une carte postale! »	envoyer

d Construct sentences

Demain je — peindre — garage.
Éteindre — enfin — télé — va te coucher!
Est-ce qu'on — rejoindre — autres — dans le séjour?
Ne rien — craindre — je vous protège!
La semaine dernière je — atteindre — âge —
soixante-dix-neuf ans.
Je n'aimais pas — les Dupont — se plaindre — toujours.

e Qu'est-ce que tu feras ici?

— Je ……

A LOUER
STUDIOS et APPARTEMENTS
GRAND CONFORT
VISITE SUR PLACE tél. 770.06.82

f Translate

'Bugsy, you'll stay in the car. Pedro and the others will stand at the corner of the street . . . nonchalantly. Al, you'll break the lock[1] and open the door. Fingers and Mario, you'll cross the shop, you'll go into the back[2] room and you'll find the safe[3] under the table. Mario, you'll have your revolver ready[4]. Fingers, you'll open the safe and take out the money. Then everybody will clear off[5] as quickly as possible and you'll all[6] come back here.'

'What'll you do, boss?'

'I shall be watching televison. I'm the brains[7] of this team.'

[1] la serrure [2] de derrière [3] le coffre-fort [4] prêt [5] s'en aller
[6] *position?* [7] le cerveau

VOCABULAIRE EXTRA

Dans le magasin

je prends . . .
un morceau de *piece*
une tranche de *slice*
un kilo de
une livre de *pound*
cent grammes de
une demi-douzaine de
c'est tout?
et avec ça?
ça fait
et cinquante centimes qui font dix francs
consigné cinquante centimes

unit 26

C'est celui de Jean.
C'est celui d'Yves.
C'est celui de Françoise.
C'est celui du gendarme.
C'est celle de ma femme.
C'est celle de mon grand-père.
Ce sont celles de mon mari
Ce sont ceux de mon patron

A la banque

Listen to the conversation twice and then answer these questions:

What does the customer want to do?
What does the bank clerk ask him for?
What does the customer offer?
What does the bank clerk say it is?
What does the customer say it is?
How does the bank clerk explain his mistake?
What two things does the customer have to do to get his money?
How does he want the money?

Now listen to the conversation again. You are a bank customer with a traveller's cheque. Give full answers to these questions in French:

Vous voulez, monsieur?
Vous avez une pièce d'identité?
Deux cent quatre-vingt-douze. Vous le voulez comment?

Now turn over and check your answers against the full conversation.

A la banque

Client : Bonjour, je veux changer ce chèque de voyage.
Employé : Vous avez une pièce d'identité ?
Client : Voilà mon passeport.
Employé : Ah, pardon monsieur — c'est celui de votre fille.
Client : Celui de ma fille ? Mais je n'ai pas de fille ! Laissez-moi voir ! Ah non, c'est celui de ma femme !
Employé : Votre femme, monsieur ? Ah, mais comme elle est jeune et belle ! Quel visage ! C'est celui d'une fille de dix-huit ans !
Client : Heu ! Eh bien, voilà mon passeport, je l'ai trouvé.
Employé : Et voilà celui de votre femme, monsieur. Mes félicitations. Voulez-vous signer ce feuillet, s'il vous plaît, et puis passer à la caisse . . . Deux cent quatre-vingt-douze. Vous le voulez comment, monsieur ?
Client : Deux billets de cent et le reste en petite monnaie s'il vous plaît. Merci.
Employé : Merci monsieur. Et mes compliments à Madame votre femme !

Chez le fruitier

— Des pommes s'il vous plaît. Un kilo.
— Celles à quatre francs ou celles à 4F 50 ?
— Celles à quatre francs. Et un kilo de prunes.
— Celles à six francs ou celles à 6F 80 ?
— Celles à six francs. Et trois livres de pêches.
— Celles à 5F 40 le kilo ou celles à 5F 80 ?
— Celles à 5F 40. Et deux citrons.
— Ceux à 50 centimes la pièce ou ceux à un franc ?
— Ceux à 50 centimes. C'est tout.
— Vingt et un francs dix s'il vous plaît, monsieur.
— Je m'excuse, mais . . . je crois que c'est 19F 10.
— Ah oui, vous avez raison monsieur, 19F 10.

Construct similar conversations with your partner.
The shopkeeper should always try to swindle the customer !

Celui d'Annette ou celui de Zazie?

Quel chapeau préfères-tu?
Quel sac à main?
Quels chiens?
Quelles chaussures?
Quelle jupe?
Quel mari?

Annette

Zazie

Blind man's buff

Ce sont les mains de qui? — Ce sont celles de ……

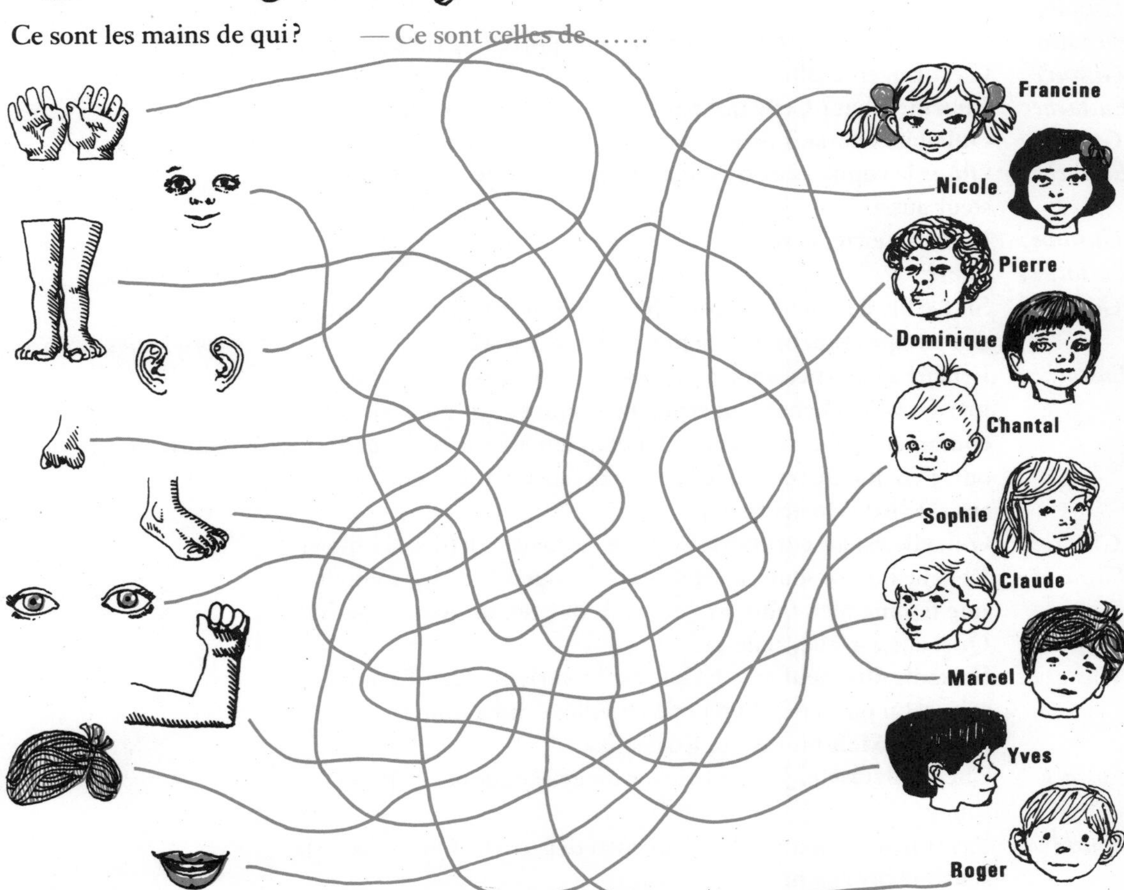

unit 27

Jamais trop tard!

Eustache: Qui est cette dame-là?
Gustave: Laquelle?
Eustache: Celle qui t'a regardé en souriant; elle porte une robe noire.
Gustave: C'est Eugénie Blois.
Eustache: Eugénie Blois? Celle qui habitait à côté de la boucherie?
Gustave: Oui oui, celle-là. Elle est veuve depuis deux mois.

la veuve widow

Eustache: Oh, je la connaissais très bien il y a cinquante ans. Hi hi! Et sa sœur aussi.
Gustave: Elle est morte, la sœur.
Eustache: Non?
Gustave: Si. Le fils de mon ami Adolphe — tu sais, celui qui est employé des pompes funèbres — il me l'a dit. Il y a six mois.

les pompes funèbres undertaker's

Eustache: Félicité Duvernet, morte. Tiens, tiens. Celle-là, elle était mariée avec Michel Duvernet, celui qui faisait du cyclisme. Il courait au Tour de France, il n'était jamais à la maison. Oui oui, Félicité Duvernet, je la connaissais bien, il y a cinquante ans. Hé hé! Morte, tu dis?

courir race

Gustave: Oui, elle est au cimetière, au Père Lachaise, depuis six mois.
Eustache: Et celle qui t'a souri, c'est sa sœur? Eugénie? C'est toujours une femme bien faite. Et veuve, tu dis, depuis deux mois? Quel âge a-t-elle, celle-là?
Gustave: Soixante-dix-neuf ans. Et elle est bien riche. Jean Lenoir — tu sais, celui qui tenait l'épicerie en ville — lui a tout laissé . . . Mais où vas-tu, Eustache?
Eustache: Chez la fleuriste. Je vais acheter un gros bouquet de roses rouges . . .
Gustave: Pas la peine, mon vieux, je lui en ai déjà parlé. On se marie la semaine prochaine!

Décrivez Eugénie — comment est-elle, est-elle mariée, quel âge a-t-elle?
Sa sœur est morte depuis combien de temps?
Comment Gustave sait qu'elle est morte?
Laquelle des sœurs connaissait-il, Eustache?
Qui était Michel Duvernet? Pourquoi n'était-il jamais à la maison?
Pourquoi Eustache veut-il acheter un bouquet de roses?
Pourquoi ce n'est pas la peine?

Celui-ci . . . **ou . . .** **celui-là?**

Lequel est le plus petit?

Laquelle est la plus belle?

Lesquelles sont les plus mécontentes?

Lesquels sont les plus fiers?

Laquelle est la plus étroite?

Lesquels sont les plus malades?

Laquelle est la plus profonde?

Oh, that one

Quel livre? Celui qui est sur le bureau.
Quel passeport? ……
Quels bagages?
Quelle rivière?
Quelle cafetière?
Quelles bicyclettes?

Quelle orange? Celle que tu as mangée.
Quel pardessus? ……
Quels faisans?
Quelles valises?
Quelles roses?

La demande en mariage

lundi dernier — Monsieur Gustave — chez la fleuriste — un bouquet de roses rouges — «pour une demande en mariage»

aller chez Madame Blois — habiter au quatrième étage — monter l'escalier — un peu hors d'haleine (*out of breath*) — sonner

ouvrir la porte — se présenter — connaître Madame votre sœur — il y a cinquante ans — permettez-moi — vous offrir — petit bouquet de fleurs

pourquoi? — si vous pensez à vous remarier — vraiment trop vieux! — pas du tout — seulement soixante-douze ans — venir de monter les quatre étages à pied

unit 28

donnez-le-moi!

donnez-les-lui!

donnez-lui-en!

donnez-m'en!

L'écharpe tricolore

Il y a 30 000 communes en France. Quelques-unes, comme la ville de Paris, ont des millions d'habitants. D'autres sont presque inhabitées. La commune de Boudin est petite, et son maire Monsieur Fantin mène une vie lente et confortable. Son travail administratif n'est pas très lourd, il a très peu de mariages à célébrer, et Monsieur Fantin passe une bonne partie de son temps au café de la Mairie, qui se trouve directement en face de la mairie et qui comprend une buvette et une épicerie — combinaison assez rare de nos jours. Quand on rencontrait monsieur le Maire dans le Café de la Mairie il disait toujours:

inhabité uninhabited
le maire mayor
mener lead
célébrer conduct
comprendre comprise
de nos jours nowadays

« Vous savez, je ne suis ici que pour acheter une boîte de sardines pour le chat! »

Un après-midi au début du mois de juillet Monsieur Fantin se trouvait par hasard au café de la Mairie à deux heures et demie. Il prenait un digestif après son déjeuner, et il causait avec M. Barre, le propriétaire, qui se plaignait comme d'habitude de sa femme.

le digestif after-meal drink

« C'était mon anniversaire hier. Je n'attends plus de vrais cadeaux, mais enfin — regardez-moi ça! » Et il montra une écharpe très longue, une écharpe rayée bleue, blanche et rouge en longueur.

attendre expect
rayé striped
en longueur lengthwise

« Tu veux me voir porter ça? lui ai-je dit. — Ce sera « bientôt le quatorze juillet, c'est exactement ce qu'il te « faudra », a-t-elle répondu! Elle veut que je porte une horreur comme ça en public! Regardez-moi ça! » Et il mit l'écharpe.

« On n'a jamais rien vu de plus ridicule », dit-il; il ôta l'écharpe et la jeta dans un coin derrière le comptoir. « Ça alors, les femmes!

ôter take off
le comptoir counter

— Enfin, Monsieur Barre, elles sont comme ça. Quant à l'écharpe, Monsieur Caron, le percepteur, est très patriote — donnez-la-lui! . . . Je crois que j'ai le temps de boire encore une fine — il n'y a pas beaucoup à faire cet après-midi. Puis-je vous offrir quelque chose? »

la fine liqueur brandy

Mais à ce moment-là la porte s'ouvrit et René, l'adjoint au maire, parut.

l'adjoint deputy

« Monsieur Fantin, savez-vous l'heure, il est presque trois heures . . .

— Eh bien, ne vous en faites pas, il n'y a presque rien à faire cet après-midi . . .

— Mais si, mais si! Vous mariez Monsieur Duval et Mademoiselle André à trois heures.

— Pas possible! Ah oui, c'est vrai! Je l'avais oublié. Excusez-moi! » Et il vida son verre et sortit du café en toute hâte, traversa la rue et entra dans la mairie.

en toute hâte in a great hurry

« Ils sont déjà là ? Je n'ai vu personne, moi.
— Mais oui, ils vous attendent dans la salle d'attente ! »

Monsieur Fantin entra vite dans son bureau et alla chercher son écharpe tricolore.

Les trois choses qu'on trouve dans toutes les mairies de France sont le portrait du Président, le buste de Marianne, symbole de la République, et l'écharpe officielle du maire. Sauf que ce jour-là, dans la mairie de Boudin, l'écharpe manquait.

« Mon écharpe, René, donnez-la-moi.
— Elle n'est pas là, monsieur le Maire.
— Mais où elle est ? demanda Monsieur Fantin. Je suis déjà en retard. Je ne peux pas marier des gens sans écharpe — c'est inouï. » Il chercha partout, éperdu, René aussi. On ne trouvait l'écharpe nulle part. Que faire, que faire ? Et puis soudain il se souvint de quelque chose. Il quitta la mairie en courant, traversa la rue, entra dans le café de la Mairie.

« Monsieur Barre, Monsieur Barre, votre écharpe !
— Mon écharpe ?
— Oui, donnez-la-moi, donnez la-moi. Ou du moins, prêtez-la-moi.
— Mais pourquoi ? Vous ne voulez pas porter un truc comme ça, c'est ridicule.
— Pour un propriétaire de café peut-être, mais pas pour un maire ! » Et M. Fantin prit l'écharpe que lui donna M. Barre sans rien comprendre, la noua autour de sa taille et sortit de nouveau en courant vers la mairie.

l'écharpe (f) (*here*) sash
manquer be missing
les gens (m) people
éperdu desperate
ne . . . nulle part nowhere
se souvenir de remember
prêter lend
nouer tie

M. Duval et Mlle André furent mariés à trois heures et quart. La céremonie fut simple mais émouvante.

Dès cet après-midi, quand on rencontre monsieur le Maire au café de la Mairie pendant les heures de travail (ce qui arrive d'ailleurs aussi souvent qu'auparavant) il dit toujours:

« Je suis venu tout simplement chercher mon écharpe municipale numéro deux. »

émouvant moving

auparavant previously

numéro deux second best

Est-ce que toutes les communes françaises sont très grandes?
Qui est M. Fantin? Décrivez sa vie.
Où passe-t-il une bonne partie de son temps? Cet établissement se trouve où? Et qu'est-ce qu'il a de curieux?
Quelle excuse est-ce que M. Fantin donne pour être chez M. Barre?
Que fait M. Fantin au café de la Mairie à deux heures et demie?
Quel cadeau d'anniversaire est-ce que M. Barre a reçu de sa femme?
Quel conseil est-ce que M. Fantin donne pour que M. Barre se débarrasse de son cadeau?
Qui est René? Pourquoi est-il agité?
Quelles sont les trois choses qu'on trouve dans toutes les mairies de France?
Laquelle des trois manque à Boudin ce jour-là?
De quoi est-ce que M. Fantin se souvient?
Qu'est-ce qu'il en fait?
Que dit M. Fantin maintenant, quand on le rencontre au café pendant les heures de travail?

Au contraire . . .

Je ne vous le vends pas!
— Si si, vendez-le-moi.
Je ne vous la répare pas!
Je ne vous les rends pas!
Je ne le lui dis pas!
Je ne les lui prends pas!
Je ne les leur achète pas!
Je ne vous en envoie pas!
Je ne lui en donne pas!

Sois indulgent!

Vous les voulez?
— Oui, donne-les-nous.
Tu les veux?
Il le veut?
Elle la veut?
Ils les veulent?
Tu en veux?
Elle en veut?
Vous en voulez?
Elles en veulent?

Mais non!

As-tu décidé? (pas)
— Je n'ai pas décidé.
Qu'as-tu dit? (rien)
Qui as-tu envoyé (personne)
Où l'as-tu rencontré? (nulle part)
Quand l'as-tu demandé? (jamais)
Quand as-tu parlé? (plus)
Qui as-tu vu? (que lui)

Retell the story of **L'écharpe** in not more than 200 words, using this framework:

Le maire de la petite commune de Boudin — passer une bonne partie de — dire toujours — boîte de sardines — un après-midi — lui montrer — cadeau d'anniversaire — une écharpe — rayé — en longueur — ridicule.

René, l'adjoint au maire — presque trois heures — marier — M. Duval et Mlle André — rentrer vite — chercher son écharpe tricolore — nulle part à trouver — se souvenir de — l'écharpe, donnez-la-moi — la nouer autour de sa taille — sortir en courant — mariés à trois heures et quart — maintenant — numéro deux.

Pairtalk

unit 29 revision

Grammar

1 celui — ceux
celle — celles

Celui, etc. (*the one*; *that*) is most frequently found followed by **de, qui/que** or **-ci/-là**:

C'est celui de Jean — *it's Jean's* (= *that of Jean*)
Celle qui habitait à côté du boucher — *the one who lived next to the butcher's*
Celle que tu as saluée — *the one you said hello to*
Celui-ci est petit, celui-là est grand — *this one . . . that one . . .*

Note also **celui à**, often used when buying things:

Ceux à trois francs; celles à 2F 50 — *the ones at . . .*

2 lequel — lesquels
laquelle — lesquelles

The question word **lequel** is a pronoun, whereas **quel** is an adjective. So:

Quelle valise? *but* Laquelle des trois valises?
Quel vin prenez-vous? *but* Lequel prenez-vous?

3 Donnez-le-moi! Donnez-m'en!

Object pronouns follow the verb only in the command form (*not* negative commands). If there are two of them they stand in the following order (which is in fact the same order as is normal in English):

	moi (m')		
	toi (t')		
le	lui		
la	nous	y	en
les	vous		
	leur		

The most common combinations are:

le/la/les + moi/lui/nous/leur
m'/lui/nous/leur + en

Remember the hyphens and note that **moi** and **toi** become **m'** and **t'** before **y** and **en**.

In negative commands pronouns stand before the verb in the normal order:
Ne me le donnez pas!

le chèque de voyage traveller's cheque
le passeport passport
le billet banknote
le reste rest, remainder
le cimetière cemetery
le bouquet bunch
le million million
l'habitant (m) inhabitant
le maire mayor
le propriétaire owner
le comptoir counter
le portrait portrait
le symbole symbol
les gens (m) people
l'établissement (m) establishmen
le conseil advice

la pièce d'identité form of identification
la prune plum
la livre pound
la veuve widow
les pompes funèbres (f) undertaker's
la fleuriste florist
la mairie town hall
la comparaison comparison
l'horreur (f) horror
la république republic
la marque make

mener lead
attendre expect
ôter take off
vider empty
manquer be missing
se souvenir de remember
courir run; race
prêter lend
nouer tie
mentir lie (= *tell lies*)

d'autres others
inhabité uninhabited
de nos jours nowadays
hors d'haleine out of breath
par hasard by chance
rayé striped
en longueur lengthwise
en public in public

4 Je ne l'ai jamais vu.
Je n'ai vu personne.
Je ne l'ai vu nulle part.
Je n'ai vu que le chat noir.

In the perfect, negatives stand in front of the past participle, except **personne** and **nulle part** which follow it and **que** which always stands immediately before whatever it qualifies (here: *only* the black cat).

en toute hâte in a great hurry
officiel (f: **-lle**) official
en retard late
éperdu desperate
ne . . . nulle part nowhere
de nouveau once again
émouvant moving
auparavant previously
numéro deux second best
agité excited
au contraire on the contrary

a Answer using **celui**, **celle** etc.

C'est quel jeune homme? (the one who lives next to the grocer's)
Quel manteau préférez-vous, mademoiselle? (that one, behind the raincoats)
Tu prends quelle voiture? (Pierre's)
Quelles pommes de terre, madame? (those at 2F 50 a kilo)
Votre verre monsieur? Lequel? (the one you've just broken!)
Quels chèques? (Gaston's)
Quelle robe tu vas acheter? (this one)

b Write in the perfect

Je n'attends personne.
Rien ne l'intéresse.
Elle n'arrive jamais en retard.
On ne vide que deux bouteilles.
Oscar ne prête rien.
Je ne descends pas à Marseille.
On ne le met nulle part.

c Shorten using pronouns

Prenez le classeur à Yvonne!
Montrez ces feuillets au maire!
Passe-moi le sel!
Rendez-nous notre argent!
Donnez-moi du sucre!
Laisse-lui du fromage!
Prête-nous la voiture!

d Add the correct form of **quel** or **lequel**

......cimetière? Le Père Lachaise?
...... de ces hommes est votre père?
Prends une carte! ......?
...... cadeaux préférez-vous?
...... heure est-il?
Cette écharpe! ...... horreur!
Elles sont jolies, ces filles. ......?

e Translate

Towards noon the mayor entered his office and sat down.

'Where's the blue file?' he said.

'Which one?' asked René.

'The one that was on my desk before lunch,' the mayor replied. 'Find it for me[1], quickly!'

René went out and came back a few[2] minutes later. 'I haven't seen it anywhere,' he said. 'I can't find it.'

'Idiot!' cried the mayor, and he stood up. 'I'll find it myself.'

After a quarter of an hour he came back into his office, very annoyed.

'Have you found it, sir?' asked René very politely[3].

'No!' said the mayor. 'I don't need it[4] any more.'

[1] *for me* = moi [2] quelques [3] poliment [4] de + *it* = en

f

This is a standard luggage locker. With the help of the vocabulary explain in English exactly how you use it.

le casier locker
muni de provided with
la fente slot
le retrait removal
le voyant window, aperture
la consigne left-luggage office
le préposé official

VOCABULAIRE EXTRA

Au cinéma

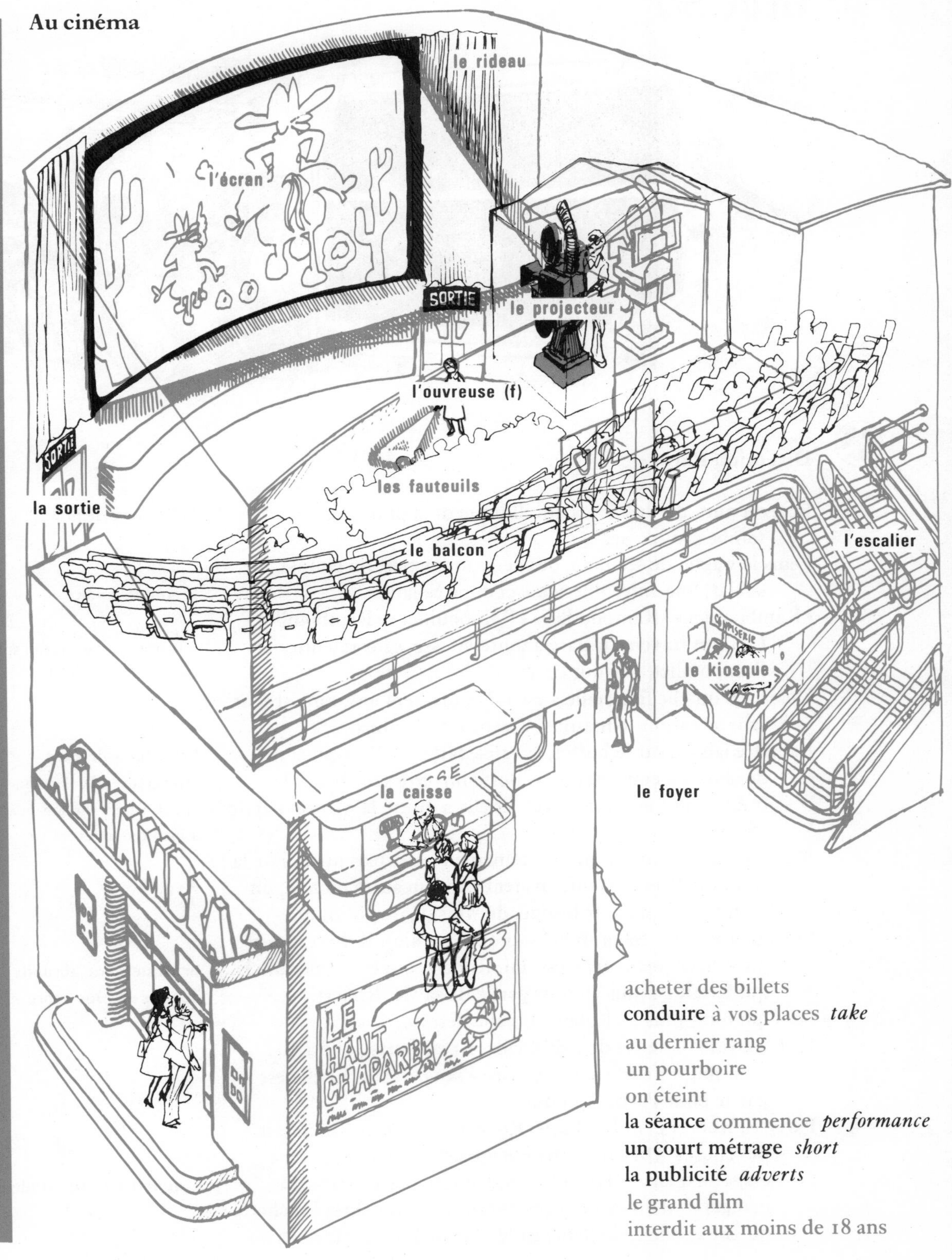

acheter des billets
conduire à vos places *take*
au dernier rang
un pourboire
on éteint
la séance commence *performance*
un court métrage *short*
la publicité *adverts*
le grand film
interdit aux moins de 18 ans

unit 30

Direction Paris

Dans la nuit, des lumières qui illuminent la pluie qui tombe sans cesse.
Dans le wagon de seconde, des gens anonymes, un couple, un soldat, une autre fille seule comme Solange.
« Rambouillet » « Rambouillet » « Rambouillet » « Rambouillet »
Le train traverse la gare à toute vitesse, sans ralentir. Rambouillet. Bientôt Paris.
Qu'est-ce qu'elle fera seule à Paris? A dix-sept ans, sans argent, sans situation, sans amis. C'est ça. Sans amis.
La lettre laissée sur le buffet, la valise faite — elle avait si peu de choses à emporter — la porte ouverte sans bruit, le train de minuit pour Paris. Et elle a quitté la maison natale à jamais.
A qui la faute? Aux parents certainement, aux parents qui ne la comprenaient pas, qui vivaient dans un autre monde, un monde d'impots, de bridge, de whisky, de politique.
Surtout à Robert. Sans amis? — non, sans ami. Robert, qui a dit si brusquement: c'est fini. Robert, qui était toujours là, qui faisait de plus en plus partie de sa vie. Robert, qui n'est plus là. Robert, qu'elle déteste.
Une vie vide. Une vie de petite ville. Et elle aussi, elle a dit: c'est fini. Et elle a écrit la lettre à ses parents. Et elle est partie pour Paris. A minuit.
Paris. Si Robert était là à Paris, Robert ou un autre, on ferait des choses! On aurait un petit appartement au septième étage au quartier Latin, au-dessus des toits de Paris. On mangerait dans ce petit restaurant de la rue de la Huchette qu'elle connaît, on flânerait le long de la Seine la nuit, on

la lumière light
le soldat soldier
à toute vitesse at full speed
ralentir slow down
le buffet sideboard
emporter take (away)
natal where she was born
à jamais for ever
vivre live
brusquement abruptly
de plus en plus more and more
le quartier Latin student quarter

rencontrerait des amis sur le boulevard St. Germain, on causerait dans les cafés, on rirait, on serait si heureux ensemble. Elle et Robert. A Paris. Ensemble. Lui . . . ou un autre.

« Sèvres » « Sèvres » « Sèvres » Le train brûle la gare, une explosion de lumière et de pluie. Sur le quai des gens moroses qui attendent le prochain omnibus.

brûler go through without stopping

le (train) omnibus stopping train

Si Robert était là à Paris, on irait à des concerts — comme elle, il adore la musique — on visiterait le zoo de Vincennes le dimanche, on achèterait des choses adorables au marché aux puces — des choses pour l'appartement —, on irait au cinéma, on marcherait heureux sous la pluie. On pourrait être heureuse sous la pluie à Paris. Avec Robert . . . ou un autre.

le marché aux puces flea market

Le train ralentit. Le soldat descend sa valise. Le couple regarde attentivement par la fenêtre. La banlieue. Des bâtiments délabrés, mornes sous la pluie. Des rues anonymes, des gens anonymes sous la pluie. Paris sans Robert. Robert qu'elle déteste. Paris à dix-sept ans, sans amis. Sans ami.

la banlieue suburbs
le bâtiment building
délabré delapidated
morne dismal

Six heures du matin à l'horloge de la gare Montparnasse. On descend. Elle suit les autres voyageurs le long du quai. Où aller à Paris à six heures du matin? Et puis, à la barrière, au-delà des autres voyageurs, une voix qui l'appelle!

« Solange! Solange! »

C'est Robert? Il est là? Avant elle? A Paris? Robert? Robert? Lui?

Ce n'est pas Robert. C'est l'oncle Jules qui est pharmacien à Ménilmontant. Et qui est chauve. Il prend sa valise. « Solange, ton père m'a téléphoné hier soir à une heure du matin . . . »

chauve bald

Si Robert était à Paris . . .

Où aurait-on un appartement?
Qu'est-ce qu'on ferait dans la rue de la Huchette?
Qu'est-ce qu'on ferait au bord de la Seine?
Qu'est-ce qu'on ferait sur le boulevard St. Germain?
Que ferait-on dans les cafés?
Comment serait-on ensemble?
Que ferait-on le dimanche?
Qu'est-ce qu'on ferait au marché aux puces?
Que ferait-on sous la pluie?

Si on était riche . . .

Nous, nous achèterions un yacht. Et Pierre aussi, il ...... un yacht.
Vous, vous iriez au Japon. Et nous aussi, nous ......
Nos amis, ils auraient dix mois de vacances. Et vous aussi, ...
Toi, tu donnerais beaucoup d'argent à la Croix-Rouge. Et tes parents aussi, ...
Moi, j'habiterais quelque part au soleil. Et toi aussi, ...
Françoise, elle ne travaillerait plus jamais. Et moi non plus, ...

Ce n'est pas tellement sûr !

Si Robert est à Paris, on fera des choses !
— Si Robert était à Paris, on ferait des choses !

Si tu veux quelque chose d'intéressant, tu iras au marché aux puces.
Si vous aimez la musique, nous irons à un concert demain.
Si je suis là, vous serez heureux.
S'ils sont quatre personnes, ils joueront au bridge.
Si tu dis que tu m'aimes, je t'embrasserai.

Pairtalk

unit 31

Service total!

Qu'est-ce que tu pourrais acheter ici (avec ou sans argent!)?

rembourser pay back
la réparation repair
la livraison delivery
la pose fitting
les pièces détachées spares
le bricolage do-it-yourself
l'habillement (m) clothing

Que faire?

— Il va

— Eh bien, on pourrait

Soyez prudent!

—Moi,
je voudrais

—Mais non,
il pourrait

Conseillez Bertie Wooster . . .

—Est-ce que je devrais porter mon pullover rouge, Jeeves?
....

—Ce serait très difficile, monsieur. ......
impossible
ne . . . pas facile
imprudent
ne . . . pas très pratique
entièrement possible

Si-tennis

Continue, in pairs. Remember, **si**-clause imperfect (**-ais**), main clause conditional (**-(e)rais**).

—Si j'avais de l'argent, j'achèterais une voiture.
—Moi, si j'achetais une voiture, j'irais à Paris.
—Moi, si j'allais à Paris, ...
— ......

Complétez (attention au temps du verbe!)

Si on n'a pas beaucoup d'argent, ...
S'il gèle demain, ...
Si je t'invite au concert, ...
Si la vie n'était pas si compliquée, ...
Si j'allais en ville samedi, ...
Si tu es français, ...
Si vous aviez froid, ...
Si je chante, ...

unit 32

Les chameaux chantants

— Qu'est-ce qu'on fait ce soir enfin?
— On pourrait aller à l'opéra, puisqu'on est à Paris.
— L'opéra. Ah, je n'aime pas ça!
— Tu n'as jamais vu un opéra! Regarde l'affiche, là, sur la colonne Morris. On donne Aïda.
— Qu'est-ce que c'est, Aïda?
— Tu en connais certainement la grande marche: ta — ta . . . tatata — ta — ta — ta. Il y a un immense défilé, avec des centaines d'hommes. Et il y a des chameaux.
— Des chameaux qui chantent? Mais il faut voir ça! Allons à l'opéra!

puisque since
la colonne Morris advertising pillar

Où sont les deux jeunes gens?
Qu'est-ce que la jeune fille propose pour la soirée?
Comment sait-elle ce qu'on donne?
Est-ce que c'est quelque chose de nouveau pour le jeune homme?
Qu'est-ce qui le persuade que c'est une bonne idee?

— Pour ce soir, mademoiselle? Je peux vous donner des places dans une loge de troisième, ou bien dans une baignoire, ou bien il y a un fauteuil et un strapontin à côté, là, à l'orchestre.
— Lesquelles préfères-tu?
— Baignoires, loges — je n'y pige que dalle. Choisis, toi. C'est toi, l'expert en opéra.
— Eh bien, on prendra le fauteuil et le strapontin à l'orchestre.
— On va bien entendre les chameaux de là?

la loge de troisième balcony box
la baignoire stalls box
le fauteuil stall seat
le strapontin folding seat
je n'y pige que dalle I don't understand a word

Est-ce que la dame à la caisse a encore beaucoup de places libres?
Qui choisit les places?
Quelles places choisit-elle?
Qu'est-ce que le jeune homme veut savoir au sujet des places?

—Tu veux laisser ton manteau au vestiaire? C'est gratuit.

—Non, il faut toujours faire la queue après. Je le garde.

—Eh bien, j'y laisse le mien. Tu es sûr que tu veux garder le tien?

—Oui oui . . . Et ça, c'est l'Opéra? Ça a l'air d'une gare.

—Ah mais non, voyons! C'est un des plus beaux édifices de Paris. Et ici ce n'est que le foyer—entrons dans la salle.

—Tu veux un programme?

—Oui, bien sûr. Mais ne donne pas de pourboire à l'ouvreuse, ici à l'Opéra on ne donne pas de pourboires.

—Deux programmes s'il vous plaît, mademoiselle. Les chameaux, c'est par là?

—Chameaux, monsieur? Vous avez des places d'orchestre. C'est par ici.

le vestiaire cloakroom

le mien mine

l'ouvreuse attendant

Pourquoi le jeune homme ne veut pas laisser son manteau au vestiaire?
Le vestiaire est payant?
Est-ce que la jeune fille garde son manteau?
A quoi est-ce que le jeune homme compare le foyer de l'Opéra?
Combien de programmes achète-t-il?
Qu'est-ce qu'il donne à l'ouvreuse comme pourboire?
Pourquoi?

—Pierre! Ne me tiens pas comme ça! On est à l'opéra et pas au dernier rang du cinéma!

—Mais tu vois! C'est ce sacré strapontin! J'en tombe, il n'est pas stable.

—Ma place est très confortable.

—Évidemment, la tienne, c'est une vraie place, ce n'est pas un strapontin!

—Mais laisse-moi enfin, Pierre. On commence, voilà le chef d'orchestre!

—Je me fiche bien du chef d'orchestre! Où sont les chameaux?

stable stable

le chef d'orchestre conductor

je me fiche bien de I don't care twopence about

Pourquoi est-ce que Pierre tient la jeune fille?
Comment trouve-t-elle son fauteuil?
Comment sait-elle que la pièce va commencer?

— Garçon ! Deux grands crèmes, s'il vous plaît.

le grand crème large white coffee

— Eh bien, tu l'as aimé, ton premier opéra ?

— Pas mal, pas mal. Prête-moi ton programme, j'ai perdu le mien . . . Ah oui, c'est comme je pensais. Regarde la liste d'artistes ! Il n'y a pas mention de chameaux !

— Mais tu l'as vu enfin, le chameau. Et deux chevaux aussi !

— Mais ils n'ont pas chanté ! On peut voir des chameaux non-chantants au zoo de Vincennes . . .

— Tu as aimé la musique ?

— Ah oui, la musique. Qu'est-ce qu'on donne demain ?

— Carmen.

— Carmen ? Avec des courses de taureaux ? N'est-ce pas ? Et les taureaux, est-ce qu'ils vont chanter, eux . . . ?

la course de taureaux bullfight

Qu'est-ce qu'ils boivent au café après l'opéra ?
Est-ce que Pierre a aimé son premier opéra ?
Pourquoi emprunte-t-il le programme de son amie ?
Pourquoi n'a-t-il pas aimé le chameau ?
Qu'est-ce qu'il veut faire demain ?
Pourquoi ?

Tidying up

Collect and mix objects belonging to both members of each pair on each desk. Then sort them out again using this pattern :

— C'est à toi, le stylo (la cravate, etc.) ?

— { Oui, c'est le mien (la mienne).
Non, c'est le tien (la tienne).

On distribue des tasses de thé

Celui sans sucre est à moi ?
— Mais oui, tu prends le tien . . . . . .

avec du citron est à elle ?
avec du sucre est à toi ?
avec du lait est à lui ?
. . . . . .

A qui sont tous ces disques ?

Ceux dans le tiroir sont à lui ?
— Non, les siens sont . . . . . .

sur le buffet sont à moi ?
dans l'armoire sont à elle ?
sous le lit sont à toi ?
. . . . . .

On revient de la laverie automatique

C'est sa ? — Oui, c'est bien la sienne.

C'est ta ?

Ce sont ses ?

C'est ma ?

Ce sont tes ?

Ce sont mes ?

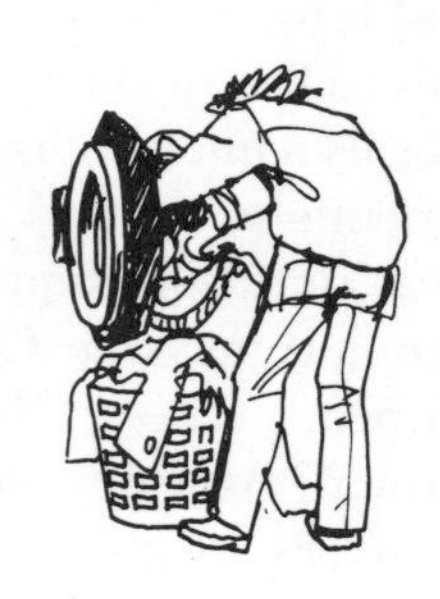

La nôtre? la vôtre? la leur?

C'est votre Renault?
— Oh mais non, la nôtre est beaucoup plus vieille.

C'est leur maison?
...... grande.

C'est notre cabine?
...... spacieuse.

Les nôtres? les vôtres? les leurs?

Ce sont vos valises?
...... élégantes.

Ce sont leurs filles?
...... méchantes.

Ce sont nos places?
...... près de la scène.

C'est ça, l'opéra!

Robert explains to his friend, who is also going to be taken to *Aïda*, what will happen.

(put in the future)

Tu **(prendre)** des places dans une loge si tu peux; tu **(éviter)** à tout prix les strapontins. Tu **(pouvoir)** laisser ton manteau au vestiaire, car tu ne **(payer)** pas, mais tu **(devoir)** faire la queue après. Et tu ne **(donner)** pas de pourboire à l'ouvreuse.
D'abord tu **(se croire)** à la gare, mais tu ne **(dire)** rien, car c'est un bel édifice. Tu **(attendre)** l'arrivée du chef d'orchestre. Attention, tu ne **(embrasser)** pas ta petite amie, c'est l'Opéra, pas le cinéma. Tu **(voir)** le grand défilé. Il y **(avoir)** des centaines d'hommes. Tu **(entendre)** la grande marche. Tu ne **(s'impatienter)** pas — les chameaux **(finir)** bien par arriver.

Mais les chameaux ne **(chanter)** pas.

unit 33 revision

Grammar

1 The conditional

manger	aller	acheter
je mangerais	j'irais	j'achèterais
tu mangerais	tu irais	tu achèterais
il mangerait	il irait	il achèterait
nous mangerions	nous irions	nous achèterions
vous mangeriez	vous iriez	vous achèteriez
ils mangeraient	ils iraient	ils achèteraient

The conditional (English: *I would eat*, *would go*, *would buy*) is formed in French by adding the imperfect endings to the future stem of the verb (which is the infinitive in regular verbs). All verbs form their conditional in this way. So, like the future, the conditional always has an **-r-** before its endings.

Si Robert était à Paris on serait si heureux ensemble.

Conditional sentences very often have a **si**-clause, expressing the condition (*if* he were in Paris we would be happy). The verb in the **si**-clause is *always* in the imperfect when the main verb is in the conditional.

il pourrait pleuvoir — *it might rain*
est-ce que je devrais porter ce pullover? — *ought I to . . .*

Notice the special meanings of the conditional of **pouvoir** and **devoir**.

2 Possessive pronouns

le mien les miens	la mienne les miennes	*mine*
le tien les tiens	la tienne les tiennes	*yours*
le sien les siens	la sienne les siennes	*his, hers, its*
le/la nôtre	les nôtres	*ours*
le/la vôtre	les vôtres	*yours*
le/la leur	les leurs	*theirs*

j'ai perdu le mien
c'est la tienne
c'est à toi

After the verb **être**, **à moi** etc. is often used instead of the possessive pronoun.

le wagon (railway) coach
le soldat soldier
le buffet sideboard
le train omnibus stopping train
le bois wood
le bâtiment building
le pharmacien chemist
le bricolage do-it-yourself
l'habillement (m) clothing
le vestiaire cloakroom
le rang row
le chef d'orchestre conductor
le thé tea

la lumière light
la banlieue suburbs
la réparation repair
la livraison delivery
la pose fitting
les pièces détachées spares
la centaine a hundred or so
la loge (theatre) box
l'ouvreuse (f) (theatre) attendant
la pièce play
la scène stage
la politique politics

ralentir slow down
emporter take (away)
vivre live
détester hate
adorer love
conseiller advise
inviter invite
rembourser pay back
persuader persuade
comparer compare
emprunter borrow
faire (une valise) pack (a case)

anonyme anonymous
à toute vitesse at full speed
natal where one was born
à jamais for ever
brusquement abruptly
de plus en plus more and more
attentivement carefully
délabré decrepit
morne dismal
chauve bald

3 des centaines d'hommes — *hundreds of men*

La centaine means *about a hundred, a hundred or so*. Similarly **dizaine, vingtaine** (*a score*), **trentaine, quarantaine, cinquantaine** and **soixantaine**. **Une douzaine** (*a dozen*) and **une quinzaine** (*a fortnight*) are formed on the same model. Note the **de** which follows.

imprudent unwise
entièrement entirely
pratique sensible
compliqué complicated
puisque since
méchant naughty
grave serious

a Add conditionals

Françoise: Si on allait au cinéma ensemble?
Nicolas: Chouette! Je ...... voir *Le dernier soldat*. (vouloir)
Jeanne: Ah mais non! Encore une fois la deuxième guerre mondiale. Je ne veux pas voir ça.
Françoise: Moi non plus. Et ce ...... trop bête d'aller voir un film que ni Jeanne ni moi ne voulons voir. (être)
Jeanne: On ...... voir *Vol à Pluto*. Tout le monde en parle. C'est au Pathé-Élysée. (devoir)
Françoise: Mais non! Moi, je ne ...... pas — quoi, vingt francs? — pour voir de la science-fiction. Si on voulait dépenser vingt francs on ...... aller voir *Amour à jamais*. (payer) (pouvoir)
Nicolas: Tu blagues! C'est de la pure saccharine! Je ne ...... pas vingt centimes pour voir ça. Et puis c'est un film américain doublé. Moi, je ...... toujours voir la version originale de n'importe quel film. (donner) (préférer)
Jeanne: La version sous-titrée? Ah non, je déteste ça, je n' ...... jamais voir un film sous-titré. (aller)
Françoise: Chers amis, évidemment on ne sera jamais d'accord! On ...... beaucoup mieux d'aller au bal! (faire)

chouette! great!
la guerre war
mondial world
bête stupid
ni ... ni ... ne neither ... nor
dépenser spend
tu blagues you must be joking
doublé dubbed
n'importe quel any
sous-titré subtitled
d'accord in agreement
au bal to a dance

b

Théâtres

Comédie-Française 20 h 30: Tartuffe
Opéra 19 h 30: Carmen
Théâtre National de Chaillot: Relâche

Music-Halls

Casino de Paris 20 h 30: Les belles de Paris
Folies-Bergère 20 h 45: C'est de la folie

Cirque

Jardins du Ranelagh 15 h: Le Cirque de Paris

Son et Lumière

Hôtel National des Invalides 22 h 30 (en français) 23 h 30 (en anglais) La gloire de la France (L'histoire de Louis XIV jusqu'à nos jours)

Cinémas

Paramount-Élysées 14, 16.5, 18.5, 20.10, 22.15 Histoire d'amour
Caméo 16.5, 18.10, 20.15, 22.20 (sam. 0 h) La nuit des désastres
Studio Jean Cocteau 16, 18, 20, 22 Mon oncle
Cinévog 12.10, 13.45, 15.50, 17.50, 19.50, 21.50 La guerre commence

Using this extract from a newspaper's entertainments column, construct a dialogue between Julien, Claire, Serge and Sylvie in which they discuss where they might go this evening.

c Complete, using conditionals

Si nous trouvions votre montre, nous ......
Si vous vouliez aller au cinéma, vous ......
Si je n'avais pas vendu ma mobylette, je ......
Si tu avais l'intention de louer un appartement, tu ......
S'ils faisaient du bricolage, ils ......
Si mon père était là, il ......
Si vous ralentissiez, vous ......
Si elles n'empruntaient pas toujours, elles ......

d Substitute possessive pronouns for nouns wherever this is possible (You should find eight places in all)

« Cette boucle d'oreille-là — c'est ta boucle d'oreille?
— Non, ce n'est pas ma boucle. Mes boucles sont en argent comme tes boucles. C'est à Louise, c'est sa boucle. Ou bien c'est à sa sœur.
— Mais non! Louise et sa sœur portent des boucles en or. Leurs boucles sont toujours en or. Elles sont très snob. Non, ce n'est pas leur boucle.
— Eh bien, évidemment, ce n'est pas notre boucle d'oreille: il faut la porter aux objets trouvés. »

la boucle d'oreille earring
l'argent (m) silver
snob smart

e Translate

'If I was in your place I wouldn't do that,' he said. 'You[1] never know what might happen.'

I looked at the revolver in[2] his hand. Then I quickly replaced[3] the telephone.

'Great,' he said. 'And now let's talk about[4] revolvers. This one might go off, mightn't it? So put yours on the table, slowly.'

'You know that there are about a hundred policemen[5] around this building?' I said calmly[6].

'You must be joking. I've just come in. There's no-one outside. And now do what I tell you — it would be a pity[7] if there was an accident.'

[1] on [2] dans [3] raccrocher [4] *omit* about [5] *use* policiers [6] d'une voix . . .
[7] dommage

f Environs de Baudricourt

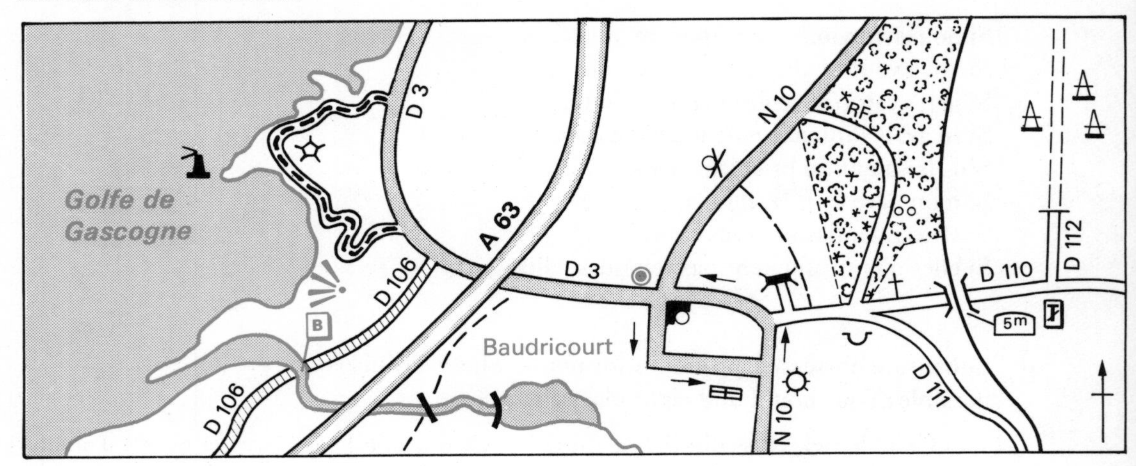

Routes

Autoroute

Route à grande circulation

Route de liaison régionale

Autre route

Route interdite

Sentier

Voie ferrée

Numéros des routes

Autoroute n° 7	**A 7**
Route nationale n° 20	N 20
Chemin départemental n° 15	D 15
Route forestière	RF

Obstacles

Hauteur limitée

Bac (autos)

Bac (piétons)

Route à sens unique

Parcours difficile ou dangereux

Signes conventionels

Usine

Carrière

Château d'eau

Fort

Phare

Téléphone de secours

Puits de pétrole et de gaz

Barrage

Cimetière

Calvaire

Moulin à vent

Château

Église

Forêt

Point de vue

Ruines

Racontez tout ce que vous pouvez au sujet du village (imaginaire!) de Baudricourt et de ses environs.

A la gare

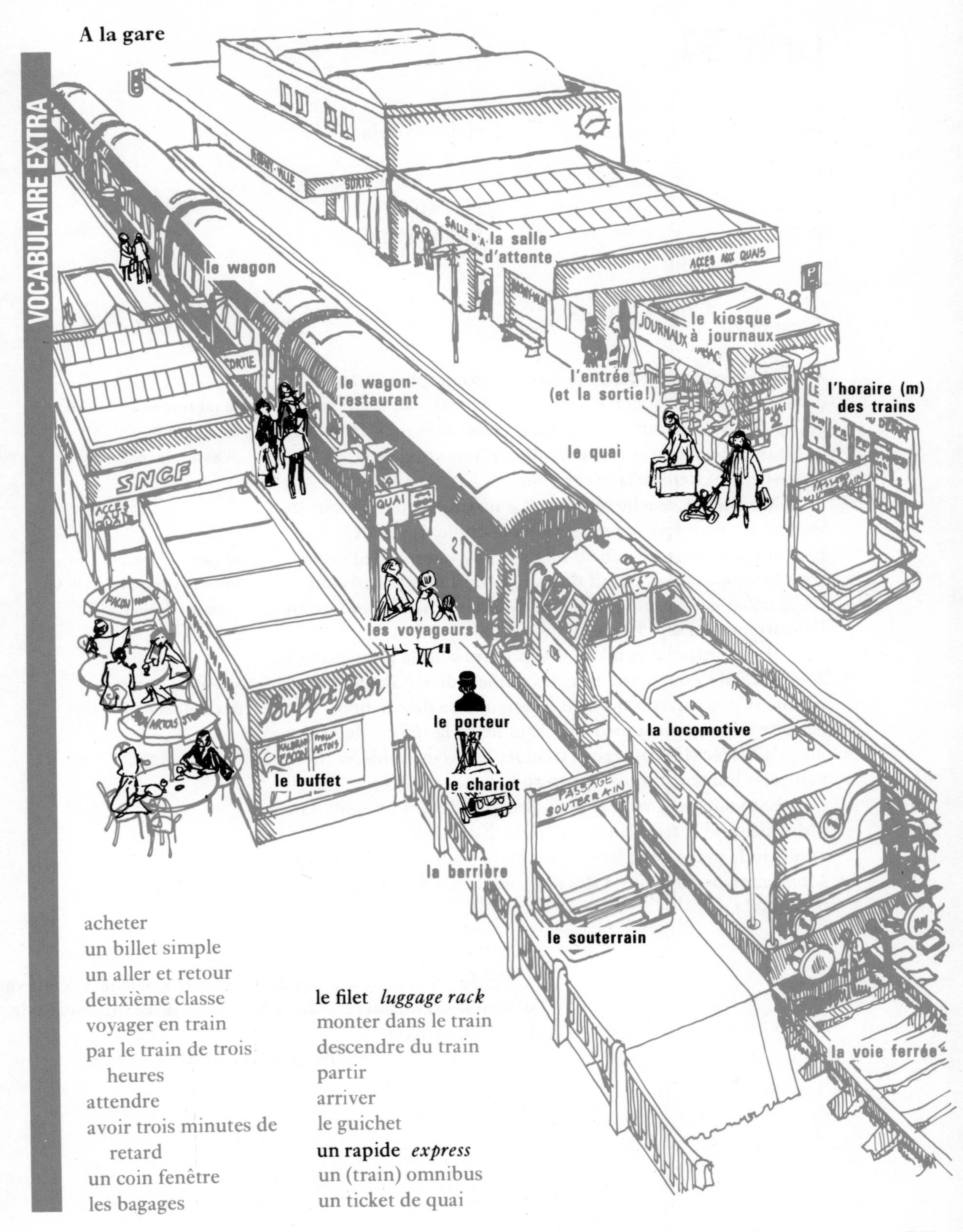

acheter
un billet simple
un aller et retour
deuxième classe
voyager en train
par le train de trois heures
attendre
avoir trois minutes de retard
un coin fenêtre
les bagages

le filet *luggage rack*
monter dans le train
descendre du train
partir
arriver
le guichet
un rapide *express*
un (train) omnibus
un ticket de quai

unit 34

aujourd'hui	hier	et avant cela...
je bois	j'ai bu	j'avais bu
je pars	je suis parti	j'étais parti
je me lève	je me suis levé	je m'étais levé

C'est la vie...

Monsieur Covielle, professeur de géographie, se tenait devant la classe de sixième. Derrière lui le tableau noir et deux grandes cartes au mur; devant lui la classe et le petit Brunard qui était debout et qui venait de dire, d'une voix claire, « Monsieur, je déteste la géographie. »

Monsieur Covielle réfléchit. Ce matin-là, comme tous les matins, il s'était levé le premier de sa famille. Il s'était lavé et rasé, il avait fait la vaisselle d'hier soir, il avait mis de l'ordre dans le séjour et il avait fait du café pour sa femme qui était toujours au lit. Puis il avait bu un café refroidi et il avait quitté l'appartement à sept heures.

Il avait marché pendant dix minutes sous la pluie jusqu'au Métro. Là il s'était battu avec des milliers de voyageurs matinaux pour arriver mouillé et fatigué à sa destination. Ensuite il était venu à pied sous la pluie de la station de Métro jusqu'à l'école. Il était arrivé, trempé, les pieds froids, et de mauvaise humeur, à huit heures au C.E.S.

Et maintenant voilà le petit Brunard devant lui qui disait « Monsieur, je déteste la géographie ». Est-ce qu'il valait vraiment la peine de se lever le matin? « Mon cher Julien, » dit Monsieur Coveille, « il y a des jours où je ne l'adore pas, moi non plus! »

le tableau noir blackboard
le mur wall
debout standing
se raser shave
faire la vaisselle wash up
refroidi (gone) cold
se battre fight
des milliers thousands

Mettez-vous à la place de Monsieur Covielle. C'était vous devant la classe qui réfléchissiez au sujet de ce que vous aviez fait. Commencez:

« Ce matin-là, comme tous les matins, je m'étais... »

Au syndicat d'initiative

Listen to the text twice and then answer these questions. Check your answers against the text on the next page.

1 Le voyageur est arrivé au syndicat d'initiative

- **a** seul.
- **b** avec sa femme.
- **c** avec sa famille.
- **d** avec sa fille.

2 Hier il était descendu à l'hôtel Westminster parce que

- **a** c'était peu cher.
- **b** c'était un hôtel à quatre étoiles.
- **c** c'était le seul hôtel où il a pu trouver une chambre.
- **d** c'était le seul hôtel de la ville.

3 Aujourd'hui il cherche

- **a** un hôtel moins cher.
- **b** un bureau de poste.
- **c** un hôtel plus confortable.
- **d** un bon restaurant.

4 Bruno lui recommande l'hôtel de Paris à cause de

- **a** ses prix homologués.
- **b** sa seule étoile.
- **c** son confort.
- **d** sa situation.

5 Le voyageur décide de réserver la chambre

- **a** en téléphonant.
- **b** en laissant Bruno téléphoner.
- **c** en allant à l'hôtel.
- **d** en écrivant une lettre.

6 Monsieur Duval devine que

- **a** le voyageur était descendu à l'hôtel Westminster.
- **b** Bruno a recommandé l'hôtel de Paris.
- **c** le voyageur voulait trouver quelque chose de moins cher.
- **d** Bruno a recommandé l'hôtel de la Poste.

7 Le propriétaire de l'hôtel de Paris est

- **a** Monsieur Duval.
- **b** le frère de Monsieur Duval.
- **c** Bruno.
- **d** le frère de Bruno.

— Monsieur ? Qu'y a-t-il pour votre service ?

— Eh bien, c'est que ma femme et moi, nous sommes arrivés hier soir et nous sommes descendus à l'hôtel Westminster. C'était le seul hôtel où on a encore pu trouver une chambre. Mais c'est un hôtel à quatre étoiles, c'est un peu cher pour nous. Est-ce que vous avez quelque chose de moins cher à nous proposer ?

descendre à stay at
l'étoile (f) star

— Oui monsieur. Il y a des chambres libres à l'hôtel de Paris, qui a deux étoiles, et à l'hôtel de la Poste, qui en a une. Voilà les prix des chambres — naturellement, ils sont homologués.

homologué officially authorised

— Lequel des deux recommandez-vous ?

— Eh bien, monsieur, l'hôtel de Paris est très confortable, très propre, très tranquille. Il y a un ascenseur, et un restaurant avec une cuisine sérieuse. Oui oui, l'hôtel de Paris est très bien à ces prix-là. Je pourrais téléphoner pour faire des réservations si vous voulez.

propre clean
sérieux reliable

— C'est très gentil de votre part. Oui, je crois qu'on va s'installer à l'hôtel de Paris, n'est-ce pas chérie . . . ?

gentil de votre part kind of you

— C'était qui, Bruno ?

— Deux voyageurs, Monsieur Duval. Ils étaient arrivés hier soir et ils étaient descendus à l'hôtel Westminster. C'était le seul hôtel où ils avaient encore pu trouver une chambre. Aujourd'hui ils voulaient trouver quelque chose de moins cher.

— Et vous avez recommandé l'hôtel de Paris plutôt que l'hôtel de la Poste ?

— Oui, bien sûr.

— Vous avez parlé du confort, de la cuisine, de la propreté, sans doute ?

la propreté cleanliness

— Ah oui.

— Et des prix raisonnables ?

— Oui oui.

—Et de l'ascenseur?
—Oui.
—Et vous avez sans doute téléphoné à l'hôtel pour faire des réservations?
—Oui, c'est ça.
—Mais vous n'avez pas expliqué que le propriétaire de l'hôtel de Paris est votre frère?
—Non, Monsieur Duval. Ça, je ne l'ai pas trouvé nécessaire.

expliquer explain

Il l'avait déjà fait

Je lui ai dit de te téléphoner, mais . . .
il t'avait déjà téléphoné.

se raser
m'écrire
se lever
te chercher
vous consulter
leur parler
s'excuser

Au contraire

Elle était partie sans payer?
—Non, elle avait payé avant de partir.

Elle était partie sans lui parler?
Elle était sortie sans manger?
Elle avait quitté Lyon sans venir le voir?
Elle avait parlé sans penser?
Elle était venue sans téléphoner?
Elle était repartie sans aller à l'hôpital?
Elle s'était couchée sans prendre de l'aspirine?

Pairtalk

unit 35

Les légumes

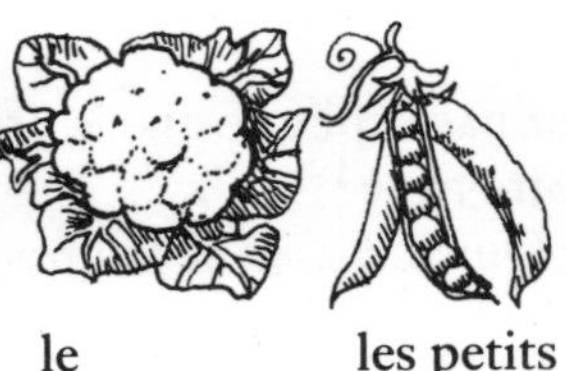

la pomme de terre	la carotte	le chou	le chou-fleur	les petits pois	l'artichaut	les haricots verts

Conseils de régime

Êtes-vous obèse? Certainement pas! On ne rencontre jamais personne qui se trouve obèse. Bien découplé, oui. Même un tout petit peu gras. Mais obèse? Non, jamais!

Pourtant, on rencontre beaucoup de gens qui sont au régime. On rencontre même des gens, dont on peut dire, sans contredit, que leur régime est très nécessaire. Et vous? Êtes-vous au régime? Y avez-vous déjà renoncé? Beaucoup dépend du régime auquel on s'attache, beaucoup aussi de la ténacité avec laquelle on s'y attache. Mais il y a des principes auxquels il faut rester fidèle, des aliments sans lesquels on devient maigre et avec lesquels on devient gras. Voici notre régime pour vous empêcher de devenir obèse:

bien découplé well built
gras fat
pourtant however
au régime on a diet
dont of whom
sans contredit indisputably
renoncer à give up
fidèle faithful
maigre thin; lean
empêcher prevent

Ce qui est permis:	Ce qui est défendu:
Les consommés. Les hors-d'œuvre crus.	Les potages à la crème.
Les poissons maigres.	Tous poissons gras.
Viandes: bœuf, mouton, veau, poulet, dinde. Les viandes rouges grillés, les blanches bien cuites.	Les viandes grasses, la charcuterie sauf le jambon maigre. L'huile, le beurre, les sauces
Légumes: légumes frais (choux, choux-fleurs, haricots verts, artichauts, choucroute). Salades.	Tous légumes farineux (pommes de terre — surtout les frites! —, carottes, petits pois). Les pâtes, le riz.
Tous les fruits frais crus.	Les gâteaux, les pâtisseries. Le sucre et toutes choses sucrées.
Pain en petites quantités ou biscottes.	
Boissons: le vin blanc léger. Le café et le thé chauds, non sucrés. L'eau minérale.	La bière, le cidre, les vins sucrés, le chocolat, les eaux gazeuses.

défendre forbid
le consommé clear soup
cru raw
cuit cooked
farineux farinaceous; starchy
frais fresh
les pâtes pasta
le riz rice
le gâteau cake
la pâtisserie small cake
la boisson drink
les eaux gazeuses fizzy drinks
l'eau minérale spa water

Voilà. Et maintenant à vous. Composez des menus de petit déjeuner, de déjeuner et de dîner **a** pour maigrir
b pour grossir.
Lesquels préférez-vous?!

People, prepositions, qui

Voilà Georges. Je suis venu avec lui.
— Georges, avec qui je suis venu.

Voilà Anne-Marie. J'ai acheté ces boucles d'oreilles pour elle.

Voilà les Duhamel. Sans eux je ne serais pas ici.

Voilà Monsieur Oscar. Derrière lui se tient sa femme.

Voilà Nicole et Christine. Nous avons joué au tennis avec elles.

Voilà Albert Dupont. Je lui ai emprunté cent francs.

Hallowed relics of a great man

Le célèbre Ché Banania

Sa cafetière, dans laquelle il a fait son café.

Sa fourchette, avec ......

Ses chaussures, dans ......

Sa moustache, derrière ......

Sa brosse à dents, avec ......

Son hamster, sans ......

Dont

Voici le vin blanc. J'**en** ai parlé.
— Voici le vin blanc **dont** j'ai parlé.

Voici l'eau minérale. Il en a bu la moitié.

Voici les biscottes. J'en ai mangé trois.

Voici un potage à la crème. Je n'en dis rien.

Voici les côtelettes. L'une d'elles est grillée.

Je vous présente Simone. Je vous ai parlé **d'elle**.
— Je vous présente Simone, **dont** je vous ai parlé.

Je vous présente Patrice. On dit des choses incroyables de lui.
Je vous présente mon neveu. Vous avez déjà entendu parler de lui.
Je vous présente ce jeune homme. On parle beaucoup de lui.
Je vous présente mes fils. L'un d'eux est au lycée Louis le Grand.

Voilà le jeune homme. Tu connais **son** père.
— Voilà le jeune homme **dont** tu connais **le** père.

Voilà une belle femme. Je ne connais pas son nom.
Voilà le petit garçon. Son chat est mort.
Voilà les musiciens. Leur camionnette est en panne.
Voilà une fille. Ses cheveux sont verts.

Avant . . . **Après . . .**

In pairs, interview each other on the startling results of the diet. Build questions around

Ces derniers mois, mademoiselle, vous avez mangé des carottes?
du pain?
......

unit 36 revision

Grammar

1 The pluperfect

faire	**aller**
j'avais fait	j'étais allé
tu avais fait	tu étais allé
il avait fait	il était allé
nous avions fait	nous étions allé(e)s
vous aviez fait	vous étiez allé(e)(s)
ils avaient fait	ils étaient allés

The pluperfect (*I had done*, *I had gone*) is formed regularly for all verbs, with the imperfect of **avoir** or **être** plus the past participle. All rules of agreement etc. that apply to the perfect also apply to the pluperfect.

2 Georges, avec qui je suis venu
la cafetière, dans laquelle il a fait son café

The relative pronoun (= *who*, *whom*, *which*) after a preposition is **qui** for people and **lequel** etc. for things.

le régime auquel on s'attache
les principes auxquels il faut rester fidèle

à + lequel becomes **auquel, à laquelle, auxquels, auxquelles**. Similarly **de** joins **lequel** etc. to become **duquel, de laquelle, desquels, desquelles**.

Je vous présente Simone, dont je vous ai parlé (= de qui je vous ai parlé).
Voici les biscottes dont j'ai mangé trois (= desquelles j'ai mangé trois).

Dont usually substitutes for both **de qui** and **duquel** etc.

Voilà le jeune homme dont tu connais le père (*whose father you know*).
Voilà les musiciens dont la camionnette est en panne (*whose van is broken down*).

Dont (and **de qui**, **duquel**) can also mean *whose* (= *of whom*). The word order which follows is always Subject, Verb, Object (if there is an object). This may or may not correspond to the English word order after *whose*. Compare the examples above.

le tableau noir blackboard
l'hôpital (m) hospital
le mur wall
le millier a thousand or so
le régime diet
le consommé clear soup
le légume vegetable
le chou (pl: **-x**) cabbage
le chou-fleur (pl: **-x-s**) cauliflower
les petits pois (m) peas
le riz rice
le gâteau cake
le lycée grammar school

la géographie geography
la classe class
l'humeur (f) temper
l'étoile (f) star
la salade (green) salad
la carotte carrot
les pâtes pasta
la pâtisserie small cake
la boisson drink
l'eau minérale spa water

les eaux gazeuses fizzy drinks
la moustache moustache
la moitié half
la côtelette cutlet, chop

se raser shave
faire la vaisselle do the washing-up
mettre de l'ordre dans tidy up
se battre fight
décider de decide to
recommander recommend
expliquer explain
renoncer à give up
empêcher de prevent from
défendre de forbid
maigrir slim
grossir put weight on

refroidi (gone) cold
debout standing
clair clear
humide wet, damp

3 Note these uses of the definite article we have met where French differs from English:

le café, **les** consommés (*coffee*, *clear soups* in general)
je déteste **la** géographie
Monsieur Covielle, professeur de géographie (no article with noun in apposition)
le petit Bonnard (adjective before a name)
il s'était levé **le** premier (*first*)
au lit, **au** régime (*in bed*, *on a diet*)
le matin (*in the morning*), **le** vendredi (*on Fridays*)
l'un d'eux (*one of them*)
but bœuf, mouton, veau . . . (article may be dropped in lists, as English)
la France, **la** Corse (but **en** France, **en** Corse)
je vous coupe **le** bras!
dix francs **la** bouteille (*a bottle*)
tu fais du cent **à l'**heure (*an hour*)

trempé soaked
propre clean
sérieux sound, reliable
raisonnable reasonable
gras fat
pourtant however
fidèle faithful
maigre thin, lean
cru raw
cuit cooked
frais (f: **fraîche**) fresh
sucré sweet(ened)

4 **Conduire**-type verbs

A small group of verbs, most of which we have met, follow the pattern of **conduire**. The commonest are:

conduire	produire (*produce*)
introduire	construire
cuire	traduire

The model they follow is:

present	je conduis	nous conduisons
	tu conduis	vous conduisez
	il conduit	ils conduisent
perfect	j'ai conduit	
imperfect	je conduisais	
past historic	je conduisis	
future	je conduirai	

Notice the double **-is** in the past historic.

a Put these pairs of sentences together using **dont**

Voilà ce garçon. Son père est à l'hôpital à Marseille.
Tu vois cette femme? Son manteau ressemble au tien.
J'ai rencontré une dame. Sa fille connaît votre petit Frédéric.
Vous connaissez ce monsieur? Son imperméable est sur ma chaise.
Voilà un de mes professeurs. Sa fille travaille au tabac du coin.
Tu connais sans doute ce jeune homme. J'ai acheté sa mobylette.
Vous avez vu la dame? J'ai pris son parapluie.

b **hier . . .** **mais avant . . .**

M. Ledoux emprunta une tente.
acheta des provisions
alla chercher du vin
loua une voiture
vendit la maison
partit pour l'Amérique
se rappela du chat
(qui était toujours dans la maison!)

Sa femme avait déjà emprunté une tente.

c Si on achetait une villa en Normandie . . .

On (être) près de la mer!
On (pouvoir) inviter des amis!
On y (aller) en week-end!
On (avoir) un grand jardin!
On (avoir) de la crème fraîche!
On (se baigner)!
On (faire) son propre cidre!

Mais nous (être) près de ta mère!
Mais nous (dépenser) un argent fou!
Mais notre appartement (être) négligé!
Mais je (devoir) y travailler!
Mais je (grossir)!
Mais je (s'enrhumer) dans l'eau froide!
Mais ça me (empoisonner)!

d Assemble sentences

Vous — conduire — beaucoup mieux — moi.
Je — déjà — traduire — ta lettre.
Les Romains — construire — cette route.
Francis — préférer — sa viande — très bien — cuire.
On — introduire — le robinet — dans le réservoir.
Dans deux ans — cette usine — produire — ne plus rien.

e Add **qui, dont, lequel** etc. or **auquel** etc. in the blanks

« Tu as vu la carte?
— Oui, je prends le menu à trente-huit. Qui est cette dame-là?
— ......?
— La dame avec ...... le garçon parle maintenant.
— Celle à ...... il vient de donner l'addition?
— Oui, celle-là.
— C'est Jeanine Desmarets.
— Jeanine Desmarets? Celle ...... on parle toujours? Oh pardon! C'est la femme à ...... ton mari était marié en premières noces, n'est-ce pas?
— Oui, je la déteste. Tu vois ce bracelet avec ...... elle joue? C'est mon mari qui le lui a donné. Et ces boucles d'oreilles ...... elle porte toujours la main?
— Ah oui, très jolies.
— Elles aussi. Comme elle est laide, cette femme!
— Ton mari ne lui a pas donné ce joli sac en cuir dans ...... elle cherche son argent?
— Si, il lui a donné ce sac-là.
— C'est un beau sac...
— Et non seulement le sac! L'argent aussi avec ...... elle est maintenant en train de payer! »

le cuir leather

être en train de faire be (in the process of) doing

f Translate

Georges Le Goëllec and his friend André, whose car was broken down, were on their way to[1] Quimper in Georges' old Peugeot[2] to[3] buy the week's provisions. They had left Bénodet at eight o'clock and had stopped at a café in Fouesnant to[3] have breakfast. That's to say, Georges had had breakfast: André was on a diet.

Well, there they were[4] doing ninety-five kilometres an hour in the old Peugeot when suddenly Georges saw a cow on the road. Too late! An hour later they were both in Quimper[5] hospital. One of them had broken[6] his arm, the other had broken his leg.

[1] en route pour [2] *cars are feminine* [3] *to = in order to* = pour [4] les voilà qui
[5] *use* de [6] se casser...

g In pairs, customer and waiter. You are having lunch in a restaurant with a fat friend. Consulting the waiter (and if necessary referring back to the diet in Unit 35!) work out what you would like for yourself, plus a non-fattening lunch for your friend. Include drinks and work out the total cost. Here is the menu:

MENU 32f

Service à l'appréciation de la clientèle

Assortiment de charcuterie
ou Salade de tomates
ou Pâté de campagne
ou Hors-d'oeuvre variés
ou Oeuf dur mayonnaise
ou Roulade de jambon

Côte de veau à la Provençale
ou Rosbif
ou Côtelette de mouton
ou Entrecôte grillée (supt. 3.00F)
supt. Salade 2.50F

Fromage
ou Pâtisserie
ou Fruit

½ Bière 2.50
1 Vittel 1.50
1 Limonade 1.50
1 pichet Blanc sec 3.30
½ Réserve Patron 4.50
1 Réserve Patron 8.00
½ Bordeaux rouge 10.00
1 Bordeaux rouge 19.00
Café nature 1.50

---

dur hard, hard-boiled
la roulade rolled-up and garnished slice
le pichet small jug
le café nature black coffee

h Décrivez ces photos.

Écrivez tout ce que vous pouvez au sujet de chaque photo.

la crémerie dairy

le perroquet parrot

le loisir leisure
la voile sailing

le motard motor-cycle policeman

VOCABULAIRE EXTRA

Au terrain de football

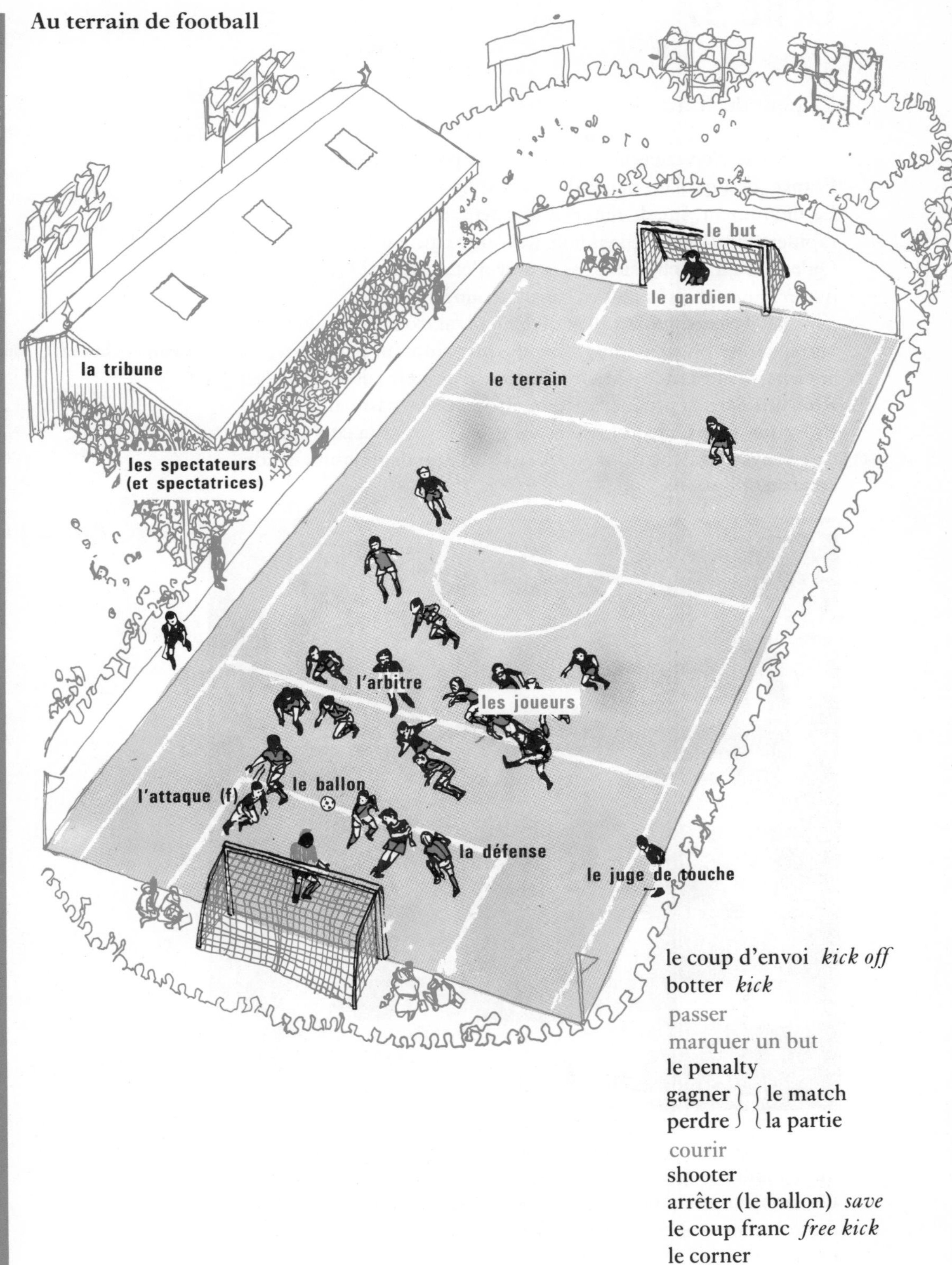

le coup d'envoi *kick off*
botter *kick*
passer
marquer un but
le penalty
gagner } { le match
perdre } { la partie
courir
shooter
arrêter (le ballon) *save*
le coup franc *free kick*
le corner

unit 37

Le pont du Gard

Lorsqu'on cherche quelque chose pour représenter la France, ce à quoi on pense d'abord, c'est toujours la tour Eiffel. Ce monument, âgé de moins d'une centaine d'années, est rapidement devenu le symbole de tout ce qui est français. Qu'est-ce qu'on choisirait, si la tour n'était pas là? Qu'est-ce qu'on aurait choisi avant sa construction?

En descendant la vallée du Rhône on trouve près de son embouchure plusieurs monuments qui comptent parmi les plus anciens de la France. Ce sont des constructions laissées par les Romains dans la première province de l'empire romain, la Provence, et le climat chaud et sec qui a favorisé la colonisation de ce pays a également préservé les plus grands monuments de cette colonisation.

l'embouchure (f) mouth (of a rive

Orange: l'arc de triomphe

A Orange on s'étonne de l'arc de triomphe, à première vue aussi moderne que ceux de Paris, monuments de l'empire et des ambitions napoléoniennes. Mais l'arc de triomphe à Orange est différent — il est authentiquement romain, il est là depuis deux mille ans.

Nîmes: Maison Carrée

De même, la Maison Carrée de Nîmes. Maison carrée — quel nom modeste! Et en la regardant on pense encore une fois être devant un de ces monuments du dix-neuvième siècle, de ces banques ou de ces églises sous forme de temple antique. Mais non — ici comme à Orange, c'est de l'authentique architecture romaine, un vrai temple romain intégral au milieu d'une ville moderne. Elle a deux mille ans, cette maison carrée, et sans nul doute sera-t-elle encore là dans deux mille ans.

le siècle century

intégral complete

Nîmes: les arènes

Les ruines romaines sont encore plus imposantes par leur grandeur. Dans les amphithéâtres de Nîmes et d'Arles on est spectateur de courses de taureaux là où, il y a deux mille ans, on aurait été spectateur de combats entre chrétiens et bêtes sauvages.

Orange : le théâtre romain

Et considérez ensuite les théâtres romains, surtout à Arles et à Orange : en été, pendant la saison touristique, des acteurs modernes jouent encore sur ces scènes antiques où, il y a vingt siècles, on aurait pu voir jouer des pièces de Sénèque et de Plaute.

Le pont du Gard

Mais parmi tous ces monuments vénérables, le plus imposant, celui qui vous coupe le souffle (surtout si vous vous promenez dessus!) c'est le pont du Gard. C'est un aqueduc, érigé pour transporter l'eau fraîche à la ville romaine de Nîmes, faisant partie d'un pipe-line romain. Ses trois rangées d'arches supportent toujours un canal, leurs pierres reposant toujours les unes sur les autres là où les

le pont bridge

la pierre stone

maçons romains les ont posées, sans se servir de mortier. Ce pont reste là sous le soleil provençal, le plus formidable monument de la France, tour d'adresse de la construction et symbole de l'esprit romain qui a survécu dans l'esprit français. On n'a rien fait de mieux depuis. Ne me parlez pas de cette tour insignifiante à Paris!

le mortier mortar

1 On voit dans la tour Eiffel
- **a** un monument ancien.
- **b** un symbole de la France.
- **c** une grande pensée.
- **d** un souvenir.

2 Des monuments romains très importants se trouvent
- **a** partout en France.
- **b** à la source du Rhône.
- **c** en Provence de l'est.
- **d** en Provence de l'ouest.

3 Ce qui a préservé ces monuments romains, c'est
- **a** l'effet favorable de la colonisation.
- **b** la grandeur des monuments.
- **c** le beau temps et le peu de pluie.
- **d** la construction romaine des monuments.

4 L'arc de triomphe à Orange est
- **a** moderne.
- **b** napoléonien.
- **c** du second empire.
- **d** antique.

5 La Maison Carrée de Nîmes est
- **a** une banque.
- **b** un temple.
- **c** une église.
- **d** une maison privée.

6 A l'amphithéâtre à Arles on peut voir
- **a** des téléspectateurs.
- **b** des combats entre chrétiens et bêtes sauvages.
- **c** des courses de taureaux.
- **d** des Romains ruinés.

7 Des acteurs jouent encore au théâtre d'Orange
- **a** en été.
- **b** il y a vingt siècles.
- **c** dans des pièces de Sénèque.
- **d** en touristes.

8 On a construit le pont du Gard
- **a** pour faciliter le transport routier.
- **b** pour se promener dessus.
- **c** pour traverser un canal.
- **d** pour avoir de l'eau à boire à Nîmes.

9 Ce pont n'est pas tombé
- **a** à cause de la construction romaine.
- **b** à cause d'un bon mortier.
- **c** à cause des trois rangées d'arches.
- **d** à cause de ses supports.

An afterthought from Santa Claus!

— Si je t'avais laissé le choix, qu'est-ce que tu aurais choisi comme cadeau?

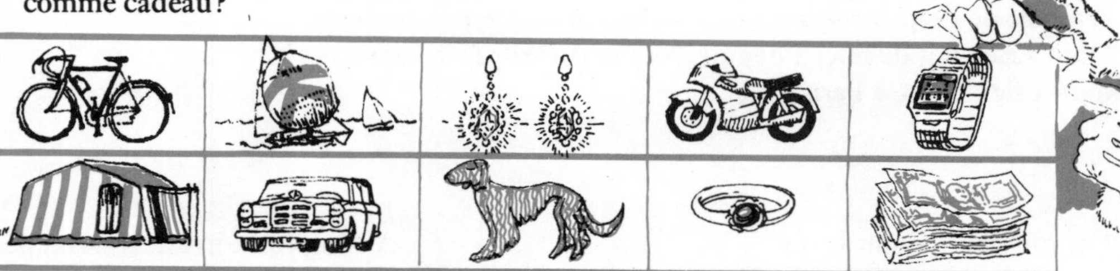

Dommage! Je t'ai apporté des chaussettes . . .

Choisissez les meilleurs mots pour compléter les phrases

C'est le pont ...... de l'empire romain.
On aurait ...... fait de se servir d'un peu de mortier.
Vraiment, c'est ...... difficile que je ne pensais.
Ce sont les monuments ...... de l'Europe.
C'est ...... province de toutes.
Elle est beaucoup ...... que la tour de Blackpool.
Je l'ai fait sans la ...... difficulté.
Voilà le ...... symbole de la France.

meilleur
les plus anciens
mieux
moindre
moins
plus grande
le plus merveilleux
la plus belle

La visite d'une famille nombreuse

Si j'avais su, j'aurais préparé un gâteau.
...... (changer) de robe.
(emprunter) des chaises.
(aller) à la banque.
(rentrer) plus tôt.
(tondre) la pelouse.
(acheter) de la bière.
(prévenir) mon mari.
(se cacher) au sous-sol.

Le jeu des vingt questions

Ce à quoi je pense commence par A . . . B . . . C . . . Il est animal . . . végétal . . . minéral . . .

Two clues from the first member of each pair about the object he or she has thought of, then twenty questions from the other member with only *oui/non* answers allowed. Then change roles.

unit 38

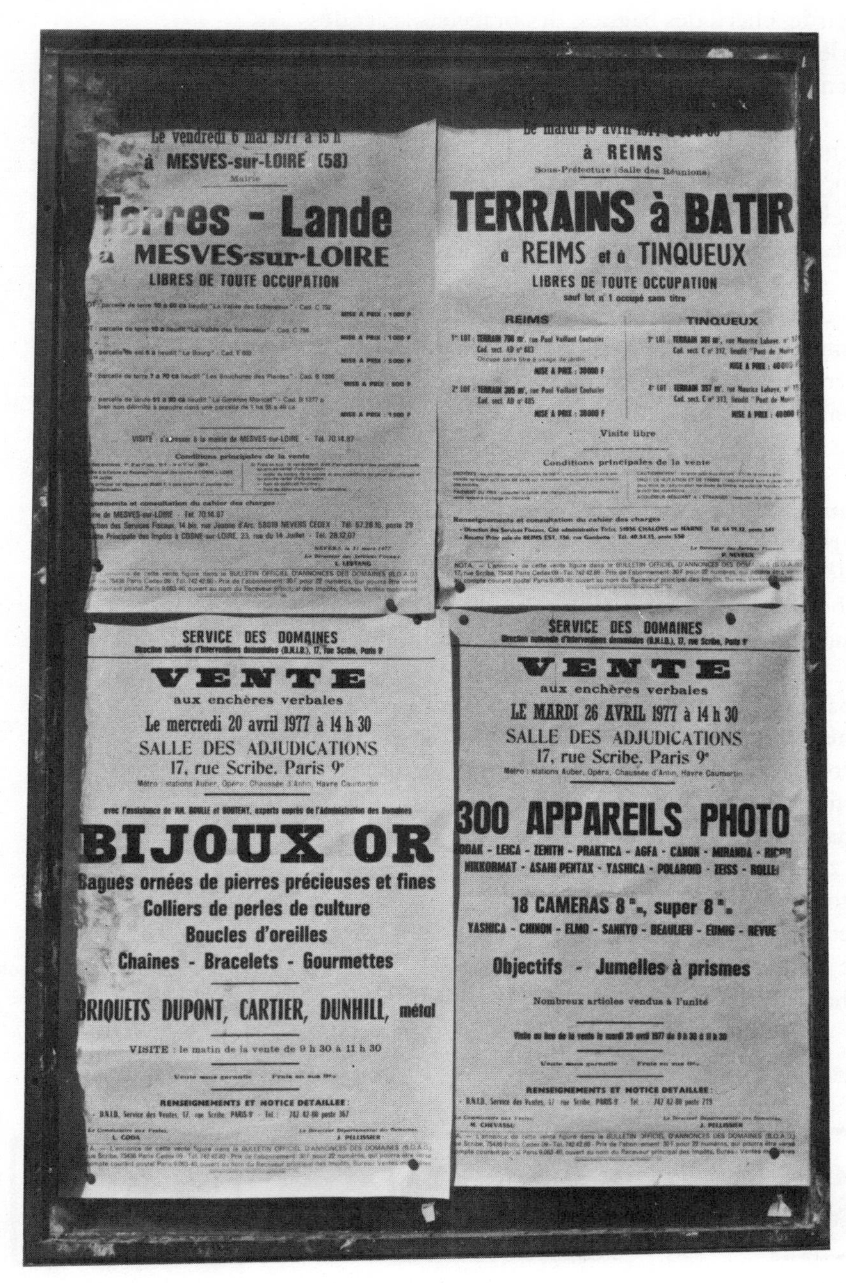

Monsieur et Madame Verdoux s'arrêtent dans la rue pour regarder l'affiche en bas à gauche.

Écoutez leur conversation!

le bijou jewel
la bague ring
le collier necklace
la perle de culture cultured pearl
l'appareil photo camera
la caméra ciné camera
l'objectif lens

« Aha ! C'est le mot « bijoux » qui t'attire, n'est-ce pas ?

— Mais regarde, chéri, des bagues, des bracelets . . . et des colliers de perles. Tu sais, j'ai toujours rêvé d'un collier de perles. Une vente comme ça, on pourrait y trouver une occasion . . .

— Des objets volés, sans doute !

— Mais non, chéri, c'est une vente publique enfin.

— Des perles fausses.

— Des perles de culture. Et la semaine prochaine, c'est notre anniversaire.

— Eh bien . . . rue Scribe, c'est pas loin du bureau. J'irai voir. Mais je ne promets rien. Je n'oserais jamais acheter quelque chose à une vente publique comme ça. Mais je noterai la date dans mon agenda. »

attirer attract

voler steal

oser dare

La semaine suivante. Monsieur Verdoux rentre du bureau.

« Tu es en retard, chéri.

— Je suis allé rue Scribe.

— Rue Scribe ? Ah oui, la vente ! Tu m'as acheté quelque chose — dis-moi, une bague, un bracelet . . . un collier de perles ?

— Euh . . . pas exactement. C'est que . . . ce n'était pas la bonne date, chérie. J'ai noté le mardi vingt-six dans mon agenda. Par erreur. La vente de bijoux, c'était le mercredi vingt. La semaine dernière.

— Mais ce paquet que tu portes ?

— Mardi le 26, aujourd'hui, c'était la vente d'appareils photo. Et j'ai toujours voulu une caméra.

— Le paquet, qu'est-ce que c'est ?

— C'est une Yashika super-huit avec téléobjectif. Tu en seras tout à fait enchantée . . . »

le téléobjectif telephoto lens

Opposés

une route haute

un garçon mince

une pierre dure

un chemin bas

une tranche épaisse

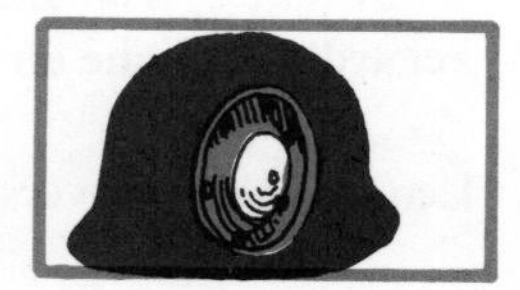

un pneu mou

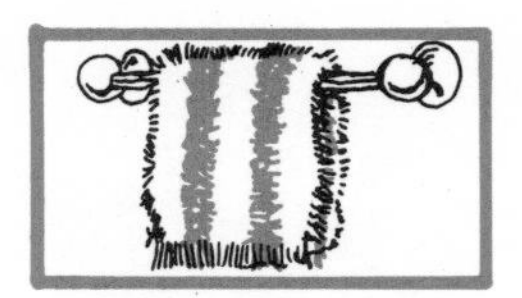
une serviette sèche

un nez long

un buffet neuf

un père gentil

un temps humide

une conversation brève

des tables anciennes

une mère cruelle

Trouvez le mot juste

Je regrette, monsieur, le lit n'est pas extraordinairement ......
Attention à votre tête! La porte est très ......
Elle est ......, votre mère, elle m'a donné dix francs!
Ce gâteau est très dur, prenez plutôt une pâtisserie, elles sont plus ......
J'ai toujours préféré un temps ...... à un temps ......
Mesdames, on n'a pas beaucoup de temps — soyez ......!
Il fait très froid ce matin — mets un pull ......
Encore une voiture ......! Il est riche, votre mari?
J'ai marché pendant trois heures: elle est vraiment ......, la route!
Voilà ma table Louis XIII — elle est très ......

Madame Verdoux écrit à son amie Jacqueline
l'histoire des bijoux qu'elle n'a pas reçus.

Composez la lettre. Commencez:

Chère Jacqueline,
Je veux te raconter ce qui s'est passé il y a deux semaines. Tu connais mon mari, Marc — il est vraiment impossible. J'étais avec lui rue Scribe, quand nous avons vu une affiche . . .

Pairtalk

Vous cherchez un chien à la S.P.A. (Société Protectrice des Animaux). Quelles questions posez-vous au sujet du chien qu'on vous propose?

Vous voulez à tout prix vous débarrasser du chien que vous lui proposez. Qu'est-ce que vous en dites?

unit 39 revision

1 **Grammar**

The conditional perfect

qu'est-ce qu'on **aurait choisi**? . . . *would have chosen*
on **aurait été** spectateur . . . *would have been*
on **aurait pu** voir . . . *might have* (=*would have been able to*)

An easier tense than it looks because it is exactly like the English:

aurait = *would have*
choisi, été, pu = *chosen, been, been able*

It is formed with the conditional of **avoir** or **être** and the past participle. All rules of agreement etc. that apply to the perfect also apply to the conditional perfect. It is mainly used in **si**-sentences:

Si je t'avais donné le choix, tu **aurais choisi** . . . *you would have chosen . . .*

2 Feminine of adjectives

Adjectives, unless they already end in **-e**, add **-e** to form the feminine. Additionally, we have already met the following groups of adjectives in book one:

-é	→	**-ée**	âgé, âgée
-er	→	**-ère**	cher, chère
-if	→	**-ive**	décoratif, décorative
-x	→	**-se**	sérieux, sérieuse
-il	→	**-ille**	gentil, gentille
-on	→	**-onne**	bon, bonne

To these we should now add:

-et	→	**-ète**	inquiet, inquiète
-ien	→	**-ienne**	ancien, ancienne
-el	→	**-elle**	cruel, cruelle

and the following irregulars we have met:

nouveau*, beau* → nouvelle, belle
fou*, mou* → folle, molle
vieux* → vieille
faux → fausse

*These adjectives have the special form **nouvel, bel, vieil, fol, mol** before a masculine singular noun beginning with a vowel or **h**: e.g. **le nouvel an.**

le climat climate
le siècle century
le combat fight
le chrétien Christian
l'acteur (m) actor
le pont bridge
l'esprit (m) spirit
le téléspectateur televiewer
le transport transport
le bijou (pl: **-x**) jewel
le collier necklace
l'appareil (photo) (m) camera

la vallée valley
la grandeur size; grandeur
la bête animal
la pierre stone
la source source
la bague ring
la perle pearl
la vente sale
la caméra ciné camera
la tranche slice

représenter represent
favoriser favour; encourage
préserver preserve
ériger erect
se servir de use
faciliter facilitate
attirer attract
tondre mow
voler steal
oser dare

lorsque when
âgé de aged
parmi among
romain roman
intégral complete
également equally
carré square
modeste modest
imposant imposing
sauvage wild
touristique tourist
insignifiant insignificant
routier road
tôt soon; early

doux → douce
gros, gras, bas, épais → grosse, grasse, basse, épaisse
frais → fraîche
sec → sèche
blanc → blanche
public → publique
favori → favorite
long → longue
neuf → neuve
bref → brève
marron → marron

public (f: **-que**) public
bas (f: **-sse**) low
épais (f: **-sse**) thick
ancien (f: **-nne**) ancient
cruel (f: **-lle**) cruel
mou (f: **molle**) soft

3 Plurals

Nouns and adjectives, unless they already end in **-s** (or **-x** or **-z**), add **-s** to form the plural.

We have also already met nouns and adjectives from the following groups:

-eau	→	**eaux**	le gâteau, les gâteaux
-eu	→	**eux**	le neveu, les neveux (*but note:* bleus, les pneus)
-al	→	**aux**	le journal, les journaux

and the following irregulars:

l'œil → les yeux
le travail → les travaux
le bijou, le chou, le genou → les bijoux, les choux, les genoux
tout(e) → tous, toutes
monsieur, madame, mademoiselle → messieurs, mesdames, mesdemoiselles

4 Irregular comparatives and superlatives

C'est un meilleur symbole.
C'est le meilleur symbole de la France.
— *better*, *best* (adjective)

Tu aurais mieux fait de . . .
C'est elle qui l'a fait le mieux.
— *better*, *best* (adverb)

Elle est beaucoup plus petite que l'autre tour.
Elle est la plus petite de toutes.
— *smaller*, *smallest* (physical size)

Sans la moindre difficulté
— *smallest* (= *slightest*, *most insignificant*)

Moindre is not very common; the other irregular comparative/superlative we have met, **pire** (and its alternative **pis**) *worse*, is only met in set phrases:

encore pire — *even worse*
de mal en pis — *from bad to worse*
tant pis — *so much the worse*

Notice that, though it isn't immediately obvious, **plus** (*more*) and **moins** (*less*) are themselves irregular comparatives of **beaucoup** (*much*) and **peu** (*little*).

5 Ce à quoi je pense, c'est . . .

Ce que (*what*) before a verb that is normally followed by a preposition (**penser à** = *think about*) becomes **ce . . . quoi**.

Ce à quoi je pense . . . = (literally) *that about what I think . . .*
= *what I'm thinking about . . .*

a Qu'est-ce que vous auriez fait hier si . . .?

S'il avait fait mauvais temps?
— J'aurais (Je serais) ......

Si vous aviez acheté une moto?
Si vous aviez été en France?
Si on vous avait donné un chaton?
Si on vous avait invité à dîner dans un bon restaurant?
Si vous aviez trouvé un portefeuille plein d'argent?
Si la troisième guerre mondiale avait commencé?

b Monsieur Boudin est gros. Et sa femme aussi, elle est ......

Ce croissant est sec. Et cette baguette aussi, ...
Mon frère est fou. Et ma sœur aussi, ...
Ce pull est neuf. Et cette jupe aussi, ...
Ce parc est public. Et cette place aussi, ...
Ce lait est frais. Et cette eau aussi, ...
Le travail est long. Et la vie aussi, ...
Ses cheveux sont faux. Et ses dents aussi, ...
Monsieur Eustache est vieux. Et Madame Eustache aussi, ...
Je suis un peu inquiet. Et ma petite amie aussi, ...

c Put the italicized words into the plural

Il ouvrit *son oeil* et regarda *son neveu* qui *lisait un journal* à table.
Tu aimes *ce bijou bleu*, chérie?
Je préfère *le cheval à l'auto — l'animal* n'*a* jamais *le pneu mou.*
Elle a mangé *tout le nouveau gâteau!*
Je regrette, *monsieur*, *le travail routier continue.*

d Complete using a superlative

C'est une bonne décision? Oui, c'est la ......
J'ai une très petite tranche de viande. Oui, tu as ......
Tu vois de la difficulté? Non, je ne ......
Anne a *très* bien joué, n'est-ce pas? Oui, elle a ......
Paule est encore plus petite que lui, n'est-ce pas? Non, il est ......
Elle a de la chance? Non, elle n'a ......

e Explain in English what you can get from this machine and exactly what you do to get it.

le jeton token (for use in local-call telephone boxes)
l'appoint (m) the exact amount
affiché indicated
l'annulation (f) cancellation

f Translate

Provence, with its favourable climate, has many well preserved Roman monuments. The amphitheatres above all are extraordinarily imposing — often one might[1] be in Rome itself[2]. Many of these buildings look[3] almost modern — the Square House at Nîmes, for example, could[1] last for another[4] twenty centuries. And at Nîmes too one can see bullfights where[5], two thousand years ago, one might have[1] seen the Christians fight with wild beasts. The most beautiful and the most imposing of these monuments is undoubtedly the Gard bridge, constructed entirely without mortar.

[1] pouvoir — *tense?* [2] même [3] avoir l'air [4] encore [5] *there where*

VOCABULAIRE EXTRA

La voiture

monter dans
descendre de
mettre les ceintures
démarrer
faire du cent à l'heure
allumer/éteindre
les lanternes/les phares
mettre les phares en code *dip*
en panne
un pneu crevé *punctured*

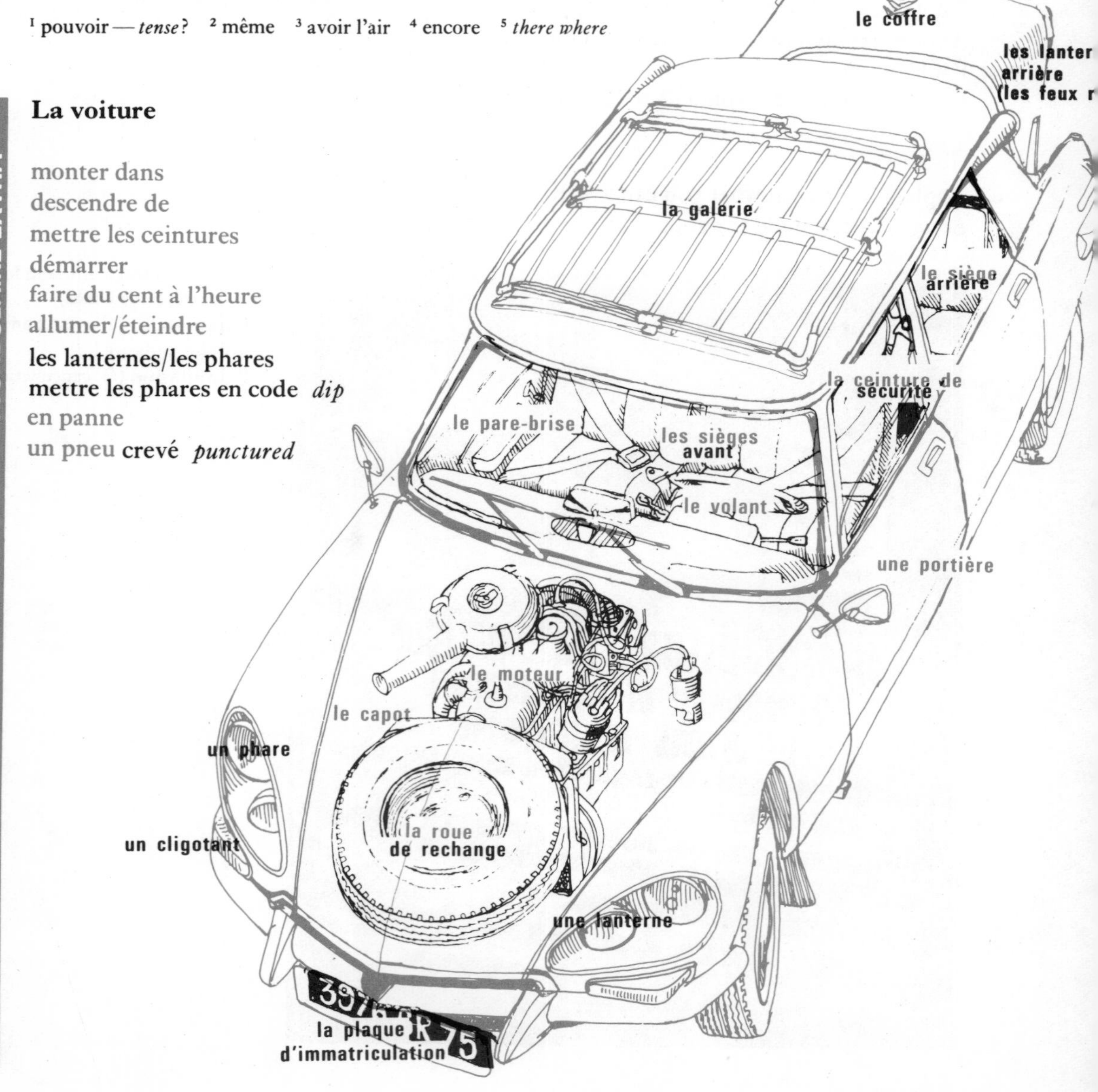

unit 40

Composez la conversation!

Jean-Louis veut avoir son propre chien. Il en parle, très poliment, à son père. Son père dit que les chiens, surtout les chiots, ne sont pas très propres et qu'il faut les dresser. Marie-Chantal interpose qu'elle a déjà demandé un animal la semaine dernière, un chaton, et que maman a dit qu'elle y penserait. Marie-Chantal ajoute qu'un petit chien coûte très cher et serait sans doute très méchant. Jean-Louis supplie son père, l'appelle « cher papa », et dit que c'est lui, Jean-Louis, qui promènera le chien. Marie-Chantal dit qu'il n'est pas nécessaire de promener un chat, que son ancien professeur a une chatte qui vient d'avoir de très gentils petits chatons. Finalement le père dit qu'il va réfléchir au sujet du chien. Il dit qu'un chien est plus intéressant qu'un chat et qu'un chien peut devenir un véritable ami.

le chiot puppy
dresser train

ajouter add
supplier beg

ancien former
la chatte female cat

Jean-Louis: ......
Le père: ......
Marie-Chantal: ......
Jean-Louis: ......
Marie-Chantal: ......
Le père: ......

Comment Jean-Louis peut-il amadouer papa?

en lui parlant doucement? — Oui!
en (passer) des disques pop? — ......
en (savoir) que c'est son anniversaire?
en (jouer) au football parmi ses roses?
en (apporter) ses pantoufles?
en (inviter) tous les copains?
en (tondre) la pelouse?

Composez la conversation!

Madame Clouzot dit à Monsieur Clouzot qu'il faut acheter un nouveau tapis pour le séjour, que le vieux tapis est complètement usé. Monsieur Clouzot dit que c'est un beau tapis, presque neuf. Mais Madame Clouzot insiste qu'un nouveau tapis est nécessaire, et pour la chambre aussi. Monsieur Clouzot répond qu'on peut acheter des tapis peu chers à Auchan, mais Madame Clouzot dit que c'est ridicule, qu'on ne peut pas mettre deux longs rouleaux de tapis dans un chariot d'hypermarché. Monsieur Clouzot dit que les seuls tapis qu'il va acheter seront des tapis d'Auchan, et qu'il peut mettre de tels tapis dans un chariot d'hypermarché sans la moindre difficulté. Madame Clouzot, résignée, dit que dans ce cas on ira acheter les tapis à Auchan, mais qu'il faut que son beau-frère aide Monsieur Clouzot à porter les tapis. Quant à elle, elle restera dans la voiture sur le parking.

usé threadbare

le chariot trolley

un tel such a

le beau-frère brother-in-law

Madame Clouzot: ......
Monsieur Clouzot: ......
Madame Clouzot: ......
Monsieur Clouzot: ......
Madame Clouzot: ......
Monsieur Clouzot: ......
Madame Clouzot: ......

Complétez les phrases

Mon cher Pierre	...... un cadeau très cher.
De mes propres mains	...... beaucoup plus propre.
Un ancien marin	...... ce téléscope ancien.
Un certain Monsieur Blot	...... à un jour certain.
Une enfant pauvre	...... cette pauvre petite chatte.
La semaine dernière	...... notre dernier chèque de voyage.
Une femme seule	...... une seule amie.

Complétez les phrases en ajoutant au moins deux adjectifs dans chaque phrase.
Attention à l'accord!

Trois éléphants et un chameau traversaient la rue de la Paix.
Mon oncle a rencontré une jeune fille à Cannes.
L'agent n'a pas trouvé mon auto.
Les enfants de notre voisin mangent des pâtisseries.
Ma mère m'a donné un sac à main.
L'homme qui attendait près du pont portait un paquet.
Ta cravate est vraiment ......

Quelques suggestions:	
bleu	jaune
beau	joli
cher	riche
intelligent	vieux
usé	sale
gros	désagréable
volé	gentil
pauvre	marron
affreux	nouveau
superbe	rose

Et encore une conversation à composer ...

Madame Tissot dit à sa petite Sophie de ne pas se pencher en dehors de la fenêtre du wagon de chemin de fer. Sophie répond qu'elle aime voir la voie ferrée devant le train. Madame Tissot dit à Sophie de ne pas se tenir sur le siège. Sophie réplique qu'elle veut descendre son sac du filet, qu'elle a des bonbons dedans. Madame Tissot dit à Sophie de ne pas faire craquer les bonbons comme ça dans sa bouche, que ce n'est pas poli. Sophie demande si elle doit sortir les bonbons de sa bouche et les donner à sa maman. Madame Tissot lui dit de ne pas être ridicule. Elle s'excuse auprès du curé qui est assis en face, qui dit que cela ne le dérange pas et que tous les enfants sont comme ça. Sophie demande son sandwich jambon au curé — il paraît qu'il est assis dessus.

se pencher lean
répliquer retort
le filet rack
auprès de with
le curé priest
déranger trouble

Madame Tissot: ......
Sophie: ......
Madame Tissot: ......
Sophie: ......
Madame Tissot: ......
Sophie: ......
Madame Tissot: ......
Le curé: ......
Sophie: ......

Qu'est-ce qu'on dit?

— Elle lui dit de ne pas s'asseoir sur son chapeau.

unit 41

Qui parle à qui?

1 **a** Le capitaine d'un bateau et un matelot.
b Un garçon de café et un client.
c Un officier de l'armée et un soldat.

le matelot seaman

2 **a** Deux vendeurs dans un magasin de disques.
b Deux jeunes amateurs de musique.
c Un jeune homme et sa mère.

3 **a** Une cliente et une vendeuse dans un supermarché.
b Une voyageuse et un guide touristique dans un car.
c Une spectatrice et une ouvreuse dans un théâtre.

4 **a** Une attachée consulaire et un agent.
b Une pervenche et un ambassadeur.
c Une femme sans permis de conduire et un employé de chemin de fer.

le permis de conduire driving licence

5 **a** Un client et un marchand de ventilateurs.
b Un ouvrier mal payé et son patron.
c Un homme qui amène sa femme à l'hôpital et un docteur.

l'ouvrier worker
amener bring

6 **a** Un jockey et son entraîneur.
b Un garçon et son père dans un train.
c Le guide du tombeau de Napoléon et un visiteur.

l'entraîneur trainer
le tombeau tomb

« Deux heures du matin ! Allez commander à ce marin-là de m'apporter du café.
— Oui mon capitaine. »

« J'ai déjà conseillé à mon père de ne pas acheter ce disque.
— Ah oui, les vieux ! Ils veulent toujours nous imiter, nous les jeunes ! »

« Mademoiselle, je ne peux pas voir la scène
— Si vous n'êtes pas contente de votre plac
il faut demander à la caisse de vous la changer. »

« Il nous est permis à nous les diplomates de laisser la voiture ici ?
— Non, madame, il est défendu à tout le monde de stationner là ! »

« Monsieur, avec une femme malade je ne peux plus vivre de mon salaire.
— Eh bien, je vous promets fidèlement d'augmenter votre salaire le mois prochain. »

« Ah ça ! Ma montre est tombée sur la voie !
— Tu vois ! Je t'ai déjà dit de ne pas te pencher au dehors ! »

Qu'as-tu fait?

Complétez avec un nom

Moi, je ne peux pas résister à ......
Qui a pris ce bracelet à ......?
Vous voulez téléphoner à ......?
Je veux le temps de réfléchir à ......
A mon avis, ton fils ressemble à ......
Vous avez vu la moto que j'ai achetée à ......?
N'oublie pas! Il faut penser à ......
J'ai emprunté cet argent à ......
Ce que tu dis là, il faut le cacher à ......
Quelqu'un a volé ces bijoux à ......

Et avec un verbe

Tu as passé la leçon à ......
Maintenant, je vais commencer à ......
Il ne faut pas hésiter à ......
Je vous invite à ......
Malheureusement ma grand-mère n'a pas réussi à ......
Tu veux m'aider à ......?
Mais monsieur l'agent, j'apprends à ......
Est-ce que ta femme va enfin renoncer à ......?

Un saint moderne
(lui/leur/y)

Il a renoncé aux cigarettes? — Oui, il ......
Il a toujours obéi à sa femme?
Il a pensé chaque année à leur anniversaire?
Il a téléphoné tous les jours à sa belle-mère?
Il a toujours caché les feuilles d'impots à sa femme?
Il a résisté à toutes les belles filles du village?

Et puis il a réfléchi à toutes ses vertues?!

Pairtalk

Vous vendez votre voiture. Décrivez-la à l'acheteur (l'acheteuse) éventuel(le) dans les meilleurs termes possibles.

Vous pensez à acheter cette voiture. Posez-lui des questions pertinentes.

unit 42 revision

Grammar

1 Position of adjectives

un long rouleau — a long *roll*
un rouleau long — a *long* roll

For many adjectives position before or after the noun depends on whether they take the stress or not. Generally however the following, most of which we met in Book One, precede:

beau	nouveau	grand
gros	jeune	mauvais
petit (*and* moindre)	joli	méchant
bon (*and* meilleur)	gentil	vieux

Most other adjectives normally follow their noun.

The following adjectives have different meanings according to their position before or after the noun:

ancien *former/ancient*
un ancien soldat *an ex-soldier*
des meubles anciens *very old furniture*

certain *certain* (*= one in particular*)/*certain* (*= definite*)
un certain jour *one* (*certain*) *day*
un jour certain *a definite day*

cher *dear* (*term of affection*)/*expensive*
mon cher papa *my dear father*
une lampe chère *a dear lamp*

dernier *last* (*of a sequence*)/*last* (*=latest, most recent*)
le dernier chèque *the last cheque* (*in my chequebook*)
dimanche dernier *last Sunday*

pauvre *poor* (*to be pitied*)/*poor* (*not rich*)
ce pauvre enfant! *that poor child!*
une famille pauvre *a poor family*

propre *own/clean*
mes propres mains *my own hands*
les mains propres *clean hands*

seul *only/alone*
mon seul fils *my only son*
une femme seule *a single woman*

Autre, chaque, plusieurs, quelque, tel

These indefinite adjectives always precede, as of course do numbers. Note the position of **tel**: un tel enfant — *such a child.*

le chiot puppy
le beau-frère brother-in-law
le chariot trolley
le cas case
le marin sailor
le téléscope telescope
l'adjectif (m) adjective
l'accord (m) agreement
le wagon carriage
le chemin de fer railway
le filet rack (*in railway carriage*)
le curé (parish) priest
le chapeau hat
le matelot seaman
l'officier officer
l'amateur (m) lover (*of something*)
le diplomate diplomat
l'ambassadeur (m) ambassador
le permis de conduire driving licence
le salaire wages
l'ouvrier (m) workman
le visiteur visitor
le tombeau tomb
le nom noun
l'avis (m) opinion
le ventilateur ventilator
l'entraîneur (m) trainer
le (la) saint(e) saint
l'acheteur (m) buyer
le terme term

maman mother
la chatte (female) cat
l'armée (f) army
la spectatrice (woman) spectator
la vertue virtue
la voyageuse (woman) traveller
la belle-mère mother-in-law

ajouter add
insister insist
dresser train
supplier beg; plead with
amadouer soften up
se pencher lean
répliquer reply
craquer crack; crunch

2 Verbs + preposition + infinitive

Most common French verbs take **de** plus infinitive:
Il essaie de le trouver.

A small group take no preposition at all:
J'aime manger du poisson.

In this group are:

aimer	faire	préférer
aller	il faut	se rappeler
désirer	laisser	venir
devoir	oser	voir
espérer	pouvoir	vouloir

A further small group take **à**:
Il commence à courir

The common verbs in this group are:

aider à	hésiter à	passer du temps à
apprendre à	inviter à	renoncer à
commencer à	se mettre à	réussir à

3 Verbs + preposition + noun

There are a small number of verbs in French which do not take a preposition before their object where we should expect one in English:
J'attends ma mère.

attendre *wait for*	habiter *live at, in*
chercher *look for*	mettre *put on*
écouter *listen to*	payer *pay for*
essayer *try on*	regarder *look at*

Another small group take **de** where we should expect no preposition in English:
Je me suis approché de lui

s'approcher de *approach*	se servir de *use*
changer de *change*	se souvenir de *remember*
discuter de *discuss*	se tromper de *mistake, take the wrong . . .*

There are also a number of verbs in French which take **à** plus a noun where in English we should expect a different preposition or none at all:
J'ai acheté cette bicyclette à Didier.

acheter à *buy from*	obéir à *obey*
cacher à *hide from*	penser à *think about*
emprunter à *borrow from*	prendre à *take from*

déranger trouble
s'emporter lose one's temper
interposer interpose
imiter imitate
augmenter increase
amener bring
obéir à obey

ancien former
tel (f: **telle**) such
résigné resigned
poli polite
auprès de with
éventuel (f: **-lle**) possible, prospective
consulaire consular

renoncer à *give up*
réfléchir à *think (reflect) about*
résister à *resist*
téléphoner à *telephone*
voler à *steal from*

There are a further seven common verbs in this group which take **à** plus noun and **de** plus infinitive, thus:
J'ai dit à mon père de réparer la voiture.

commander à quelqu'un de faire quelque chose *command someone to do something*
conseiller à quelqu'un de faire quelque chose *advise*
défendre à quelqu'un de faire quelque chose *forbid*
demander à quelqu'un de faire quelque chose *ask*
dire à quelqu'un de faire quelque chose *tell*
permettre à quelqu'un de faire quelque chose *allow*
promettre à quelqu'un de faire quelque chose *promise*

4 Elle lui dit de ne pas s'asseoir

In the negative infinitive both parts of the negative (**ne pas, ne plus** etc.) stand in front of the infinitive and any object pronouns.

5 un vendeur — une vendeuse
un spectateur — une spectatrice
un ambassadeur

Nouns ending in **-eur** normally have a feminine form in **-euse**, though a few have a feminine in **-rice** and a few have no feminine form at all.

a Ajoutez les adjectifs

Samedi j'ai rencontré un ami que je connaissais il y a	dernier; ancien
dix ans. Il était mon ami à l'université. A part une dureté	seul, vrai; certain
d'expression je n'ai vu la différence ni dans son visage ni dans	moindre
ce qu'il disait. C'était toujours l'homme de ma jeunesse.	gros, jeune
Évidemment il n'est plus l'étudiant de ce temps-là: il est	pauvre
devenu entrepreneur, il a son entreprise avec une usine à	propre; nouveau
Billancourt et une usine à Rouen. Nous avons dîné ensemble—	autre
ce n'est pas tous les jours qu'on rencontre un ami comme ça.	vieux

la dureté hardness **le visage** face
l'étudiant student **l'entrepreneur** contractor

b Tu nettoies la cuisine? Je vais t'aider.
— Je vais t'aider ...... nettoyer la cuisine.

Il faut ouvrir la boîte? Je vais essayer.
Il est question de faire marcher la voiture? J'ai déjà réussi!
Tu veux que je téléphone à Marie? J'hésite un peu.
Faire la demande en mariage? Je n'ose pas!
Il n'a pas trouvé la lettre! Je l'ai empêché.
Je dois nager dans cette mer? Je ne peux pas!
Entrer dans cette caverne? Ah non, j'ai peur!

c Complétez

Dites à votre ami ......
J'ai conseillé à ton grand-père ......
Vous me permettez ......?
Demande à l'ouvreuse ......
Le mécanicien m'a promis ......
Je t'ai absolument défendu ......
On a déjà commandé à ce matelot ......

d Vous attendez 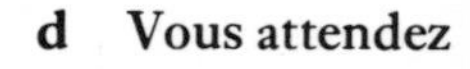  ?

Je l'ai acheté 

Je me suis trompé 

Je ne peux pas résister

Je pense 

Puis-je payer  ?

Tu as changé ?

Ce portefeuille? Je l'ai volé

Petite horreur! Il faut te servir  !

Tu te souviens   ?

e Les questions qu'on pose!

Pardon, mademoiselle,

où est-ce qu'on peut acheter des meubles anciens à Hesdin?
est-ce qu'on peut louer une villa ici pour l'été?
il y a un camping ici?
j'ai cassé ma canne à pêche — je peux la faire réparer ici quelque part?
je cherche un certain Charles Février qui habite à Hesdin, vous le connaissez peut-être?
ma voiture est en panne — il y a une agence Citroën en ville?
où est-ce que je peux acheter des chaussures d'enfant?
j'ai cassé le lavabo dans notre caravane, qu'est-ce que vous conseillez?
on veut faire un pique-nique, où peut-on aller?

Vocabulaire utile

le cabinet (estate agent's) office
la location rent
saisonnier seasonal
le specialiste de specialist in
le lavabo wash-basin

f Translate

'I'm hoping to visit Spain next year[1] with Roger and Claudie', said Pascal. 'We want to borrow a tent from someone, perhaps from Jean-Luc, and take Claudie's car.'

'I didn't know that Claudie had a car', said Didier.

'Oh yes, she bought it from Alain last month. Obviously I don't know if Jean-Luc will allow us to borrow the tent.'

'It's quite[2] possible. He's given up camping.'

'Really?'

'Yes, last year he spent almost a week looking for a camp site on the Côte d'Azur and then someone stole his airbed[3] from him and he had to[4] sleep[5] on the[6] ground.'

'Ah yes, I remember it[7] now! And then it began to rain and Jean-Luc went home.'

'After that he certainly won't advise you to go[8] camping!'

[1] l'année [2] bien [3] le matelas pneumatique [4] devoir; *tense?*
[5] coucher [6] par [7] *not* le *but . . . ?* [8] faire du

VOCABULAIRE EXTRA

A la campagne

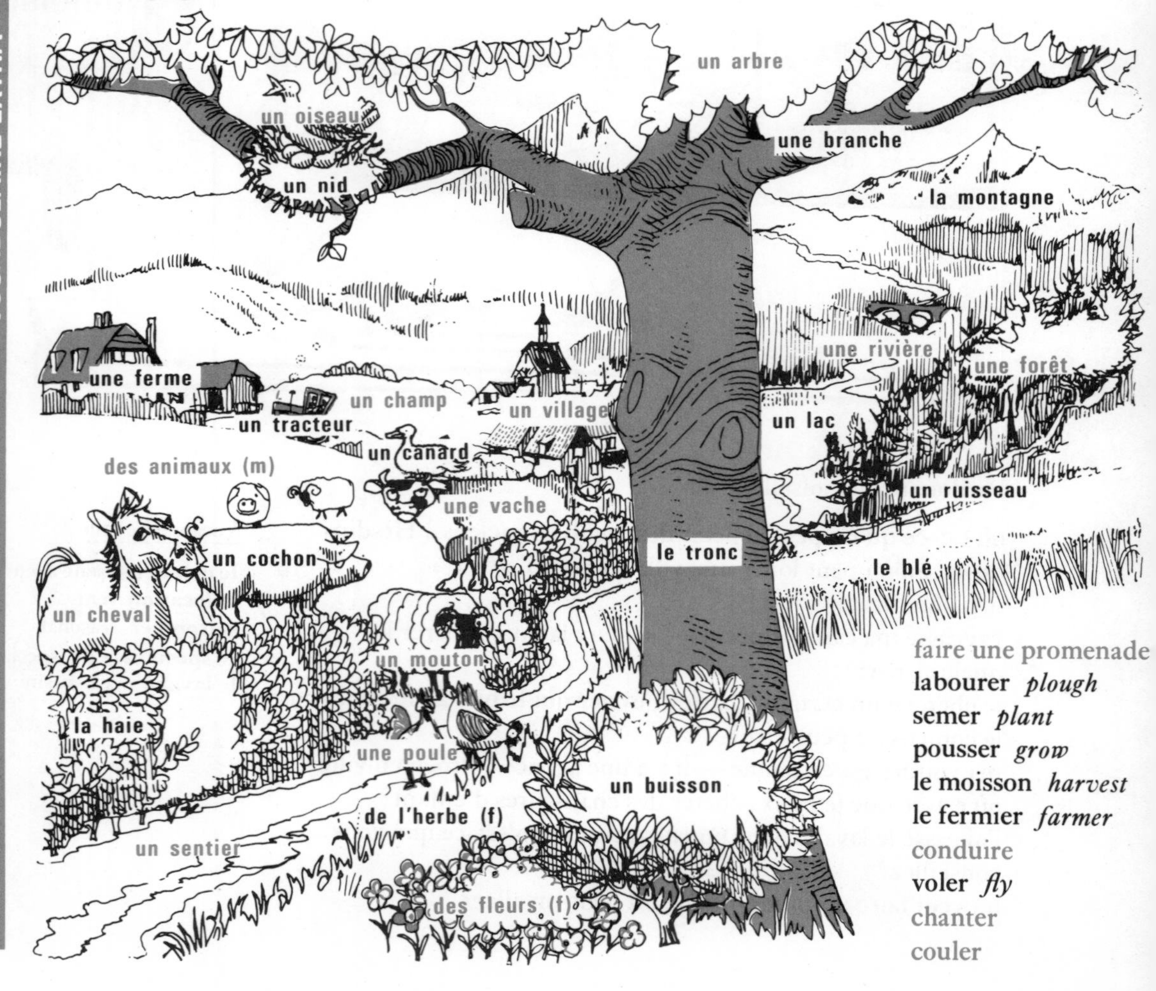

faire une promenade
labourer *plough*
semer *plant*
pousser *grow*
le moisson *harvest*
le fermier *farmer*
conduire
voler *fly*
chanter
couler

unit 43

« Veuillez faire envoyer tout cela à la maison.

— Je regrette, madame, que nous ne livrions plus à domicile.

— Mais je ne peux pas porter tout ça. Je veux absolument que vous l'envoyiez chez moi!

— Je suis désolé que nous ne puissions pas vous aider, madame . . . c'est que je n'ai plus d'assistant.

— Mais dans ce cas il faut que vous le portiez vous-même. Il est absolument nécessaire que tout cela soit chez moi avant que Zazine et moi soyons rentrées cet après-midi. Au revoir monsieur. »

« Il faut que vous attendiez, monsieur. Le bébé n'est pas encore arrivé.

— Et ma femme? J'ai peur que tout n'aille pas bien — c'est notre premier enfant.

— Ne vous énervez pas, monsieur. Ce n'est pas *notre* premier enfant, bien que ce soit le vôtre.

— Oui, mais . . .

— Pour vous, il n'y a rien à faire jusqu'à ce que l'enfant arrive. C'est à votre femme maintenant. Il faut attendre patiemment que l'infirmière vienne vous donner des nouvelles.

— Pourvu que ça ne soit pas des jumeaux . . . ! »

« Je suis enchanté que vous soyez là, monsieur. C'est un tel plaisir de vous voir.

— Vraiment?

— Mais oui, nous vous attendons tous avec impatience. Je regrette seulement que je n'aie pas pu aller vous chercher à la gare.

— A la gare?

— Voulez-vous m'accompagner maintenant à la salle des professeurs afin que vous puissiez faire la connaissance des autres membres de la faculté.

— Un instant, monsieur. Pour qui me prenez-vous?

— Mais vous êtes bien le recteur de l'université de Rennes qui vient donner notre conférence annuelle.

— Vous vous trompez, monsieur. Je suis l'employé des P.T.T. qui vient réparer votre téléphone détraqué. »

Complétez

a Je regrette, madame, que nous ......
Je veux absolument que vous ......
Je suis désolé que nous ......
Dans ce cas il faut que vous ......
Il est nécessaire que tout cela ......

b J'ai peur que tout ......
Il n'y a rien à faire jusqu'à ce que l'enfant ......
Il faut attendre patiemment que l'infirmière ......
Pourvu que ça ......

c Je suis enchanté que vous ......
Je regrette seulement que je ......
Voulez-vous m'accompagner à la salle des professeurs afin que vous ......

Never mind the others, Roger must do what I say

Roger et Suzanne ne mettent pas leurs imperméables!
—Mais il faut bien que Roger mette son imperméable!

Roger et Mathieu ne prennent pas leur médicament!
Roger et Patrice ne boivent pas leur lait!
Roger et Odile n'écrivent pas leurs devoirs!
Roger et Jean-Luc ne finissent pas leur travail!
Roger et Didier ne viennent pas manger!
Roger et Marie-Claire ne disent pas la vérité!
Roger et Toinette ne suivent pas vos instructions!
Roger et Sylvie ne me rendent pas mon argent!

It's really a bit early for me

Nous partons à sept heures.
—Eh bien, moi, je ne veux pas que nous partions si tôt.

Nous mangeons à midi.
Nous sortons à huit heures.
Nous arrivons demain.
Nous rentrons à onze heures.
Nous finissons à minuit.

Yes, that's right

Tu chantes? C'est vraiment nécessaire?
— Oui, il est nécessaire que je chante!

Tu rentres? Il le faut?
Tu travailles maintenant? Et ta mère le regrette?
Tu te maries? Elle le veut?
Tu le quittes? Et Pierre est enchanté?
Tu ne trouves pas d'emploi? Et ton père est désolé?

Bien que? pourvu que? afin que? avant que? jusqu'à ce que?

Vous rentrez à minuit. Je vais faire la vaisselle à onze heures.
— Je vais faire la vaisselle avant que vous rentriez.

Je sais que vous n'aimez pas le violon. Je vais en jouer quand même.
Vous arrivez à neuf heures. Je vais continuer mon travail jusqu'à neuf heures.
Je mettrai ma nouvelle robe. Mais seulement si vous m'invitez à dîner!
J'ai mis la viande dans le frigo. Vous ne devez pas la manger!

Jean Cancre a été insolent en classe — comme toujours!
Son professeur le punit: l'enfant proteste.

Je dirai à mon père de venir!
— Qu'il vienne!

de téléphoner au censeur!
d'aller voir le directeur!
de lui montrer mon travail!
de lui dire ce qu'il pense de vous!
de me retirer du collège!

Apologize for all of us

— Je regrette que nous ayons ......

mangé votre déjeuner.
cassé votre pare-brise.
embrassé votre femme.

Ça alors! Et quoi encore?
......

unit 44

Dans la neige

Jean-Marc fit du feu dans la cheminée avec des morceaux de bois qu'il avait ramassés dans un coin de la hutte. Soucieux, il regarda Martine.

« Évidemment, c'était ridicule d'entreprendre un long trajet à ski à deux par un temps pareil. Je regrette que nous soyons jamais partis. C'est ma faute. Entièrement.

— Mais chéri . . . Je ne veux pas que tu te fasses des reproches. Tu ne pouvais pas savoir que j'allais me casser la cheville.

— Ça te fait toujours mal?

— Ah oui, il faut le dire, ça me fait drôlement mal. »

Jean-Marc défit le mouchoir qu'il avait noué autour de la jambe de sa compagne et examina la cheville gonflée.

« Enfin, dit-il, on a eu de la chance de découvrir cette hutte. Sans cela . . . »

Il laissa la phrase inachevée. Tous deux regardèrent par la fenêtre sale et fêlée la neige qui tombait si fort maintenant, un monde de flocons blancs fouettés par le vent. Il y avait longtemps que la hutte avait été abandonnée par ses derniers habitants, des bergers sans doute. Elle était sale et vide et puante. Mais pour les deux jeunes gens c'était un hôtel à cinq étoiles, un abri contre cette tempête de neige, trouvé par miracle à cinquante pas du trou caché par la neige où Martine en tombant s'était cassé la cheville.

« Du moins on a relativement chaud, » dit Jean-Marc. Il prit Martine dans ses bras devant le feu.

« J'ai faim, dit-elle d'une petite voix. Toi aussi?

le feu fire
la cheminée fireplace
ramasser pick up
soucieux anxious
entreprendre undertake
la cheville ankle
drôlement terribly
le mouchoir handkerchief
gonflé swollen
fêlé cracked
le flocon flake
fouetter whip (up)
le berger shepherd
puer smell
l'abri shelter
le pas pace
le trou hole

— Oui, un peu. Mais pas moyen de chercher de l'aide avant que ça ne finisse.

— Ah non, je ne veux pas que tu t'en ailles, que tu me laisses seule. Pas ce soir!

— Non, pas ce soir. Mais demain matin, quand il fera jour. »

Il mit encore un morceau de bois sur le feu qui donnait de la chaleur et un peu de lumière aussi maintenant.

« Penses-tu qu'ils sachent où nous sommes, qu'ils viennent nous chercher?

— Pas ce soir. Pas par un temps comme ça. Mais ils savaient où nous comptions aller. Et nous sommes toujours sur le bon chemin. Plus ou moins. Ils vont venir demain. Sinon, je rentrerai seul demain matin.

— Pourvu que la tempête soit finie . . .

— Oh oui, ça ne peut pas durer longemps comme ça. » Il mit sur le feu les derniers morceaux de bois sec. « Essaie de t'endormir un peu », dit-il.

pas moyen de there's no way of
faire jour get light
la chaleur heat
compter intend
sinon if not

« Jean-Marc, réveille-toi! Réveille-toi vite! Il y a un animal devant la hutte, un loup, un ours . . . »

Martine, les yeux grands ouverts mais toujours à moitié endormie, s'était dressée devant le feu presque éteint. Son compagnon se réveilla d'un coup.

« Un animal? Quel animal? Où ça? »

Puis il sourit en apercevant une vague lueur mouvante qui entrait par la fenêtre.

« Mon petit chou, à moins que les ours ne portent des lampes de poche . . . on nous a retrouvés! »

Et il se précipita joyeux pour ouvrir la porte et pour crier de toutes ses forces vers les chercheurs dans la nuit . . .

se réveiller wake up
le loup wolf
l'ours bear
se dresser sit up
éteint out
d'un coup all at once
la lueur glow
à moins que unless
la lampe de poche torch

Avec quoi Jean-Marc fit-il du feu?
Pourquoi était-il soucieux en regardant Martine?
Comment avait-elle eu son accident?
Comment était la cheville?
Quel temps faisait-il?
Pourquoi la hutte était vide?
Comment était-elle, la hutte?
Qu'est-ce que Jean-Marc allait faire le lendemain matin?
Pourquoi Jean-Marc pensait-il qu'on les retrouverait?
Pourquoi Martine se réveilla?
Comment Jean-Marc savait que ce n'était pas un ours devant la hutte?
Qu'est-ce qu'il fit?

What do you want?

Que veux-tu que je fasse? La vaisselle?
— C'est ça! Je veux que tu fasses la vaisselle.

Où veux-tu que j'aille? A la gare routière?
Où veux-tu qu'elle soit, la cérémonie? A l'église?
Que veux-tu qu'il ait comme cadeau? Un crocodile?
Que veux-tu qu'elle sache? Ton nom?
Que veux-tu qu'ils puissent faire? Du ski?

Terribly sorry . . .

Elle s'est cassé la cheville.
— Je suis désolé qu'elle se soit cassé la cheville.

Il n'a pas réussi à son examen.
Ils sont arrivés après le concert.
J'ai déjà payé les boissons.
Elle n'est pas allée à ma rencontre.
Nous nous sommes réveillés trop tard.
Ça m'a fait mal.
Le garage puait!

Une vie de chien!

— Je ne sortirai pas avec toi à moins que tu achètes une nouvelle chemise.
— Je n'achèterai pas de nouvelle chemise à moins que mon père (me donner de l'argent).
— Ton père ...... tu (tondre la pelouse).
— Je ...... je (se sentir mieux).
— Tu ...... tu (quitter la maison).
— Je ...... tu (sortir avec moi).
— Je ...... tu (acheter une nouvelle chemise).

Losing our temper?

— Je regrette que nous ne puissions pas ......
— Mais il faut que vous ......
— Je suis désolé, mais nous ne pouvons pas ......
— J'insiste! Vous allez ......

livrer votre aspirateur
réparer votre voiture
vous rendre votre argent
trouver vos lunettes
reprendre ces bijoux
......

Et maintenant, que faut-il faire?

la voiture ne marche pas — emprunter la mobylette de son fils

plus d'essence — à un kilomètre — se dire — prendre le train

employés de la SNCF — en grève — prendre un taxi

un pneu crevé — pas de roue de secours — faire de l'autostop

un poids lourd — s'arrêter — il faut que je . . . — huit heures et demie — monter dans la cabine à côté du conducteur

arriver à la Porte de Clignancourt — prendre le Boulevard Périphérique — vouloir aller dans le centre de la ville — y aller à pied

unit 45 revision

Grammar

1 The subjunctive

Il faut qu'il mette son imperméable.
Je veux qu'il écrive ses devoirs.
Je regrette que nous ayons cassé votre fenêtre.

The subjunctive is formed from the **ils** form of the present tense; the **nous** and the **vous** forms of the subjunctive are the same as the **nous** and **vous** forms of the imperfect:

arriver (*present tense*: ils arrivent)

j'arrive	nous arrivions
tu arrives	vous arriviez
il arrive	ils arrivent

finir (*present tense*: ils finissent)

je finisse	nous finissions
tu finisses	vous finissiez
il finisse	ils finissent

rendre (*present tense*: ils rendent)

je rende	nous rendions
tu rendes	vous rendiez
il rende	ils rendent

prendre (*present tense*: ils prennent)

je prenne	nous prenions
tu prennes	vous preniez
il prenne	ils prennent

There are a small number of irregular subjunctives:

être
je sois, tu sois, il soit,
nous soyons, vous soyez, ils soient

avoir
j'aie, tu aies, il ait,
nous ayons, vous ayez, ils aient

aller
j'aille, tu ailles, il aille,
nous allions, vous alliez, ils aillent

faire
je fasse, tu fasses, il fasse,
nous fassions, vous fassiez, ils fassent

le jumeau (f: **-elle**) twin
le violon violin
le feu fire
le mouchoir handkerchief
le flocon flake
le berger shepherd
l'abri (m) shelter
le pas pace; yard
le trou hole
le moyen means
le loup wolf
l'ours (m) bear
l'examen (m) examination
le médicament medicine

l'infirmière (f) nurse
la salle des professeurs staff room
la faculté staff
la conférence lecture
la cheminée fireplace
la hutte hut
la cheville ankle
la compagne (female) companion
la neige snow
la tempête de neige snowstorm
l'aide (f) help
la chaleur heat
la lampe de poche torch
la grève strike
la roue de secours spare wheel

livrer deliver
s'énerver get worried
aller à votre rencontre go to meet you
ramasser pick up
entreprendre undertake
fouetter whip (up)
puer smell
faire jour grow light
compter intend
s'endormir go to sleep
se réveiller wake up
se dresser sit up

désolé terribly sorry
bien que although
patiemment patiently
jusqu'à ce que until

pouvoir
je puisse, tu puisses, il puisse,
nous puissions, vous puissiez, ils puissent

savoir
je sache, tu saches, il sache,
nous sachions, vous sachiez, ils sachent

vouloir
je veuille, tu veuilles, il veuille,
nous voulions, vous vouliez, ils veuillent

The subjunctive is obligatory after a limited number of rather common constructions. In these constructions it is often the equivalent of a conditional in English:

je veux que tu t'en ailles, *I wish you would go.*

The most frequently met of these constructions are:

vouloir que
regretter que
attendre que
être désolé que
être enchanté que
il faut que
il est nécessaire que
avoir peur que
pensez-vous (penses-tu) que
je ne pense pas que

avant que
bien que
jusqu'à ce que
afin que
pourvu que
à moins que

To express the past after these constructions the perfect is used with the auxiliary in the subjunctive:

Je regrette que cela vous ait fait mal.
Je suis enchanté que vous soyez déjà arrivé.

Where the subject of both verbs is the same the subjunctive is usually avoided by using an infinitive, thus:

je regrette que vous ayez mangé le poisson
I'm sorry you ate the fish — but
je regrette d'avoir mangé le poisson
I'm sorry I ate the fish (*I'm sorry to have eaten the fish*)

The subjunctive is also used to express a command to a third person (English: *let him . . .*)

Qu'il vienne! *Let him come!*

2 La hutte **avait été abandonnée** par ses habitants.
. . . had been left by . . .

The passive in French is formed exactly as it is in English; however, it is very rarely used in French and should be

pourvu que provided that; just so long as
afin que so that
détraqué out of order
soucieusement anxiously
ridicule ridiculous
drôlement terribly
gonflé swollen
fêlé cracked
sinon if not
éteint extinguished; out
à moitié half
d'un coup all at once
de toutes ses forces with all his might
crevé punctured

avoided. Use the active form instead, if necessary with **on** as the subject:

Elle a été tuée → on l'a tuée (*she was killed*).

3 Il faut attendre patiemment. (patient → patiemment)
Mais oui, évidemment! (évident → évidemment)
Il parle constamment. (constant → constamment)

Adjectives ending in **-ent** and **-ant** form adverbs in **-emment** and **-amment** (same pronunciation for both).

a Complete, using the verbs indicated

Il faut que je ...... (prendre)
Pourvu que nous ...... (partir)
Je suis désolé que vous ...... (être)
Il regrette que tu ...... (avoir)
Il est nécessaire que nous ...... (dire)
Penses-tu qu'ils ...... (savoir)
Je suis enchanté qu'elle ...... (pouvoir)
Elle veut que je ...... (mettre)
J'ai peur que vous ...... (vouloir)
Je ne pense pas qu'il ...... (comprendre)

b Join, using the conjunction given

Je reste dans la salle d'attente. L'avion part. (jusqu'à ce que)
Je vais à la mairie. Ma mère m'y attend. (parce que)
Nous cherchons un agent de police. Je peux lui raconter mon histoire. (afin que)
Je viendrai voir le match. Tu n'en diras rien à ma femme. (pourvu que)
On l'a vu trois fois. On est ici à Paris. (depuis que)
Je ne lui parle jamais. Nous habitons dans le même immeuble. (bien que)
Je vais vous montrer toute l'exposition. Vous vous intéressez à l'art français. (puisque)
Achète vite les billets! La séance commence. (avant que)

c Form adverbs from these adjectives, then use each in a sentence

absolu	évident	patient
indépendant	drôle	vrai
heureux	récent	constant

d Rewrite avoiding the passive

Elle a été tuée.
L'orange avait été mangée par Georges.
Mon classeur a été volé.
Mes affaires sont toujours ramassées par Patrice.
Les provisions sont livrées à domicile.
Mon salaire a été augmenté.
Elle était toujours suivie d'une grande foule.

e Translate

Jean-Marc left the hut and went towards[1] the vague glow that he had seen from the window. Gradually[2] he recognized[3] three men carrying torches — his father and his two brothers. He shouted and they saw him.

'At last', said his father, relieved. 'But where's Martine?'

'She's in the hut. We've been[3] here since last night. She's broken her ankle.'

'All night? Aren't[4] you cold?'

'I made a[5] fire, although I had very little wood. But it's out now.'

'Just so long as we can get her down again[6]. That's the most important thing. We must carry her very carefully[7]. Let's go and see[8] her.'

[1] *approached* [2] peu à peu [3] tense? [4] verb? [5] *some* [6] redescendre
[7] *with a lot of care* (le soin) [8] *go to see*

f

Briançon, le 7 décembre

Mon cher Jean-Marc,

Ton oncle vient de me raconter ce qu'il sait de cette histoire effroyable de la tempête de neige et de la jambe cassée de Martine. Qu'est-ce qui est arrivé exactement? Raconte-moi tous les détails — comme tu sais, tu es mon héritier, et je n'aime pas que tu t'exposes à de tels dangers. J'espère que tu n'as rien fait d'imprudent — rassure-moi vite.

Bon baisers de ta tante inquiète,

Mélanie

Vous êtes Jean-Marc. Répondez à cette lettre en employant tout le tact nécessaire pour rassurer la tante Mélanie, toujours très soucieuse de votre bien-être.

g What comes out of these doors? What else?

Can you park here on a public holiday?

P.V. = **procès-verbal** (*prosecution for minor offence*). Who will be prosecuted?

Write down all you know about this camp site. What do you think **garage mort** means?

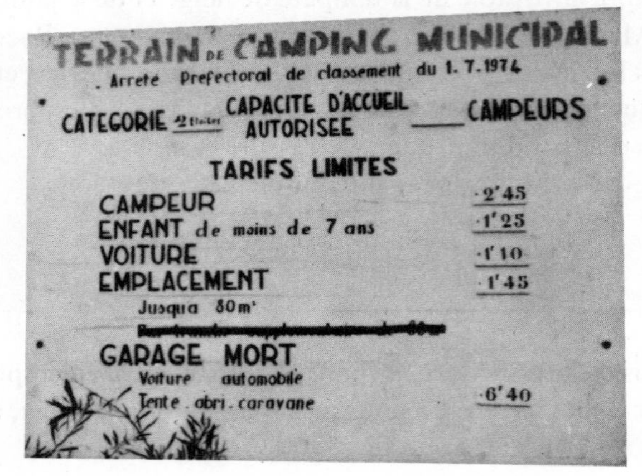

What does this sign tell you?

What is this man selling? Name some flavours. Do you eat them here?

What is the English equivalent of this sign? (Beware — it has nothing to do with rivers . . .)

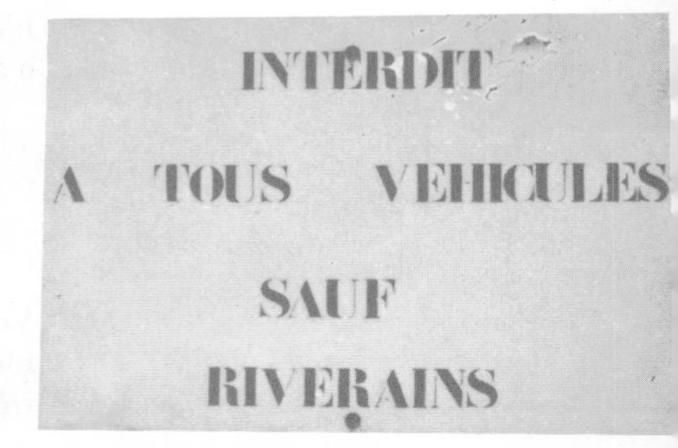

Sur la plage

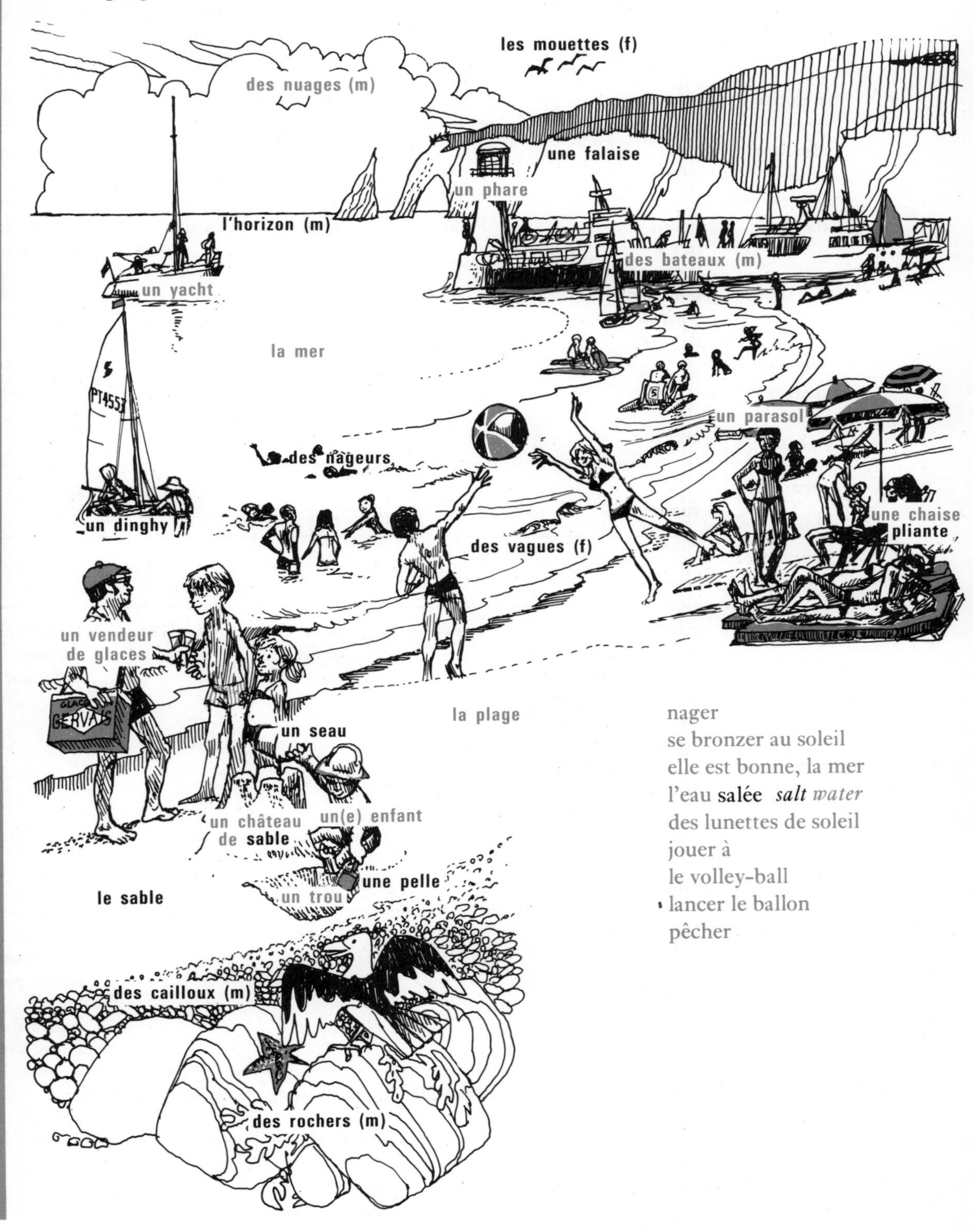

nager
se bronzer au soleil
elle est bonne, la mer
l'eau **salée** *salt water*
des lunettes de soleil
jouer à
le volley-ball
lancer le ballon
pêcher

Irregular verbs

Verbs marked † form their perfect with êtr
Verbs marked * are less common; some par
are very rarely met.

infinitive	present	past participle	future	past historic	other irregularities
admettre admit	→ mettre				
aller† go	je vais tu vas il va nous allons vous allez ils vont	allé	j'irai	j'allai	*subj.* j'aille, nous allions
apercevoir catch sight of	→ recevoir				
apparaître appear	→ connaître				
apprendre learn	→ prendre				
s'asseoir† sit down	je m'assieds/assois tu t'assieds/assois il s'assied/assoit nous nous asseyons/assoyons vous vous asseyez/assoyez ils s'asseyent/assoient	assis	je m'assiérai	je m'assis	*the forms in -o- are more colloquial*
atteindre reach	→ peindre				
avoir have	j'ai tu as il a nous avons vous avez ils ont	eu	j'aurai	j'eus	*subj.* j'aie, nous ayons *present participle* ayant *imperative* aie, ayons, ayez
***battre** beat	*regular except present:* je/tu bats, il bat, nous battons, vous battez, ils battent				
***se battre†** fight	→ battre				

infinitive	present	past participle	future	past historic	other irregularities
boire drink	je bois tu bois il boit nous buvons vous buvez ils boivent	bu	je boirai	je bus	
*bouillir boil	*regular except present :* je/tu bous, il bout, nous bouillons, vous bouillez, ils bouillent				
*combattre combat	→ battre				
commettre commit	→ mettre				
comprendre understand	→ prendre				
*concevoir conceive	→ recevoir				
conduire drive	je conduis tu conduis il conduit nous conduisons vous conduisez ils conduisent	conduit	je conduirai	je conduisis	
connaître know	je connais tu connais il connaît nous connaissons vous connaissez ils connaissent	connu	je connaîtrai	je connus	
construire construct	→ conduire				
*contredire contradict	→ dire				
*convaincre convince	→ vaincre				
courir run	je cours tu cours il court nous courons vous courez ils courent	couru	je courrai	je courus	

infinitive	present	past participle	future	past historic	other irregularities
couvrir cover	je couvre tu couvres il couvre nous couvrons vous couvrez ils couvrent	couvert	je couvrirai	je couvris	
craindre fear	→ peindre				
croire believe	je crois tu crois il croit nous croyons vous croyez ils croient	cru	je croirai	je crus	
***cuire** cook	→ conduire				
décevoir deceive	→ recevoir				
découvrir discover	→ couvrir				
décrire describe	→ écrire				
***détruire** destroy	→ conduire				
devoir must; owe	je dois tu dois il doit nous devons vous devez ils doivent	dû	je devrai	je dus	*past participle* *feminine* due *plural* dus, dues
dire say	je dis tu dis il dit nous disons vous dites ils disent	dit	je dirai	je dis	
dormir sleep	→ partir				

infinitive	present	past participle	future	past historic	other irregularities
écrire write	j'écris tu écris il écrit nous écrivons vous écrivez ils écrivent	écrit	j'écrirai	j'écrivis	
*élire elect	→ lire				
envoyer send	j'envois tu envois il envoit nous envoyons vous envoyez ils envoient	envoyé	j'enverrai	j'envoyai	
éteindre switch off; put out	→ peindre				
être be	je suis tu es il est nous sommes vous êtes ils sont	été	je serai	je fus	*subj.* je sois, nous soyons *present participle* étant *imperative* sois, soyons, soyez
faire do; make	je fais tu fais il fait nous faisons vous faites ils font	fait	je ferai	je fis	*subj.* je fasse, nous fassions
falloir must; be necessary	il faut	fallu	il faudra	il fallut	*subj.* il faille
introduire introduce; put in	→ conduire				
joindre join	→ peindre				

infinitive	present	past participle	future	past historic	other irregularities
lire read	je lis tu lis il lit nous lisons vous lisez ils lisent	lu	je lirai	je lus	
mentir tell lies	→ partir				
mettre put	je mets tu mets il met nous mettons vous mettez ils mettent	mis	je mettrai	je mis	
*mourir† die	je meurs tu meurs il meurt nous mourons vous mourez ils meurent	mort	je mourrai	je mourus	
*naître† be born	*like* connaître, *but past participle* né, *past historic* je naquis				
offrir offer	→ couvrir				
ouvrir open	→ couvrir				
paraître appear	→ connaître				
partir† leave	je pars tu pars il part nous partons vous partez ils partent	parti	je partirai	je partis	
peindre paint	je peins tu peins il peint nous peignons vous peignez ils peignent	peint	je peindrai	je peignis	

infinitive	present	past participle	future	past historic	other irregularities
se plaindre† complain	→ peindre				
*plaire please	je plais tu plais il plaît nous plaisons vous plaisez ils plaisent	plu	je plairai	je plus	
pleuvoir rain	il pleut	plu	il pleuvra	il plut	*subj.* il pleuve
poursuivre pursue	→ suivre				
pouvoir can; be able	je peux, puis-je tu peux il peut nous pouvons vous pouvez ils peuvent	pu	je pourrai	je pus	*subj.* je puisse, nous puissions
prendre take	je prends tu prends il prend nous prenons vous prenez ils prennent	pris	je prendrai	je pris	
produire produce	→ conduire				
recevoir receive	je reçois tu reçois il reçoit nons recevons vous recevez ils reçoivent	reçu	je recevrai	je reçus	
reconnaître recognize	→ connaître				
*réduire reduce	→ conduire				
*se repentir† repent	→ partir				

infinitive	present	past participle	future	past historic	other irregularities
rire laugh	je ris tu ris il rit nous rions vous riez ils rient	ri	je rirai	je ris	
savoir know	je sais tu sais il sait nous savons vous savez ils savent	su	je saurai	je sus	*subj.* je sache, nous sachions *present participle* sachant *imperative* sache, sachons, sachez
se sentir† feel	→ partir				
servir serve	→ partir				
sortir† go out	→ partir				
souffrir suffer	→ couvrir				
sourire smile	→ rire				
* suffire be (quite) enough	*like* lire, *but past participle* suffi, *past historic* je suffis				
suivre follow	je suis tu suis il suit nous suivons vous suivez ils suivent	suivi	je suivrai	je suivis	
surprendre surprise	→ prendre				
*survivre survive	→ vivre				
* se taire† be quiet	*like* plaire, *but* il *form of present* il se tait				

infinitive	present	past participle	future	past historic	other irregularities
tenir hold	→ venir				
traduire translate	→ conduire				
*vaincre defeat	je vaincs tu vaincs il vainc nous vainquons vous vainquez ils vainquent	vaincu	je vaincrai	je vainquis	
*valoir be worth	*like* falloir *but with single* -l- *except subjunctive:* il vaille. *Parts other than* il *extremely uncommon.*				
venir† come	je viens tu viens il vient nous venons vous venez ils viennent	venu	je viendrai	je vins tu vins il vint nous vînmes vous vîntes ils vinrent	
vivre live	je vis tu vis il vit nous vivons vous vivez ils vivent	vécu	je vivrai	je vécus	
voir see	je vois tu vois il voit nous voyons vous voyez ils voient	vu	je verrai	je vis	
vouloir want	je veux tu veux il veut nous voulons vous voulez ils veulent	voulu	je voudrai	je voulus	*subj.* je veuille nous voulions *imperative* veuille, veuillez (= *would you kindly*)

infinitive	present	past participle	future	past historic	other irregularities

-er verbs with slight changes

-e . . er verbs

The **e** changes to **è** when a mute **e** follows:

acheter buy	j'achète tu achètes il achète nous achetons vous achetez ils achètent	acheté	j'achèterai	j'achetai	

Three common **-e . . er** verbs produce the same effect by doubling the consonant after the **e**:

jeter throw	je jette nous jetons	jeté	je jetterai	je jetai	
appeler call	j'appelle nous appelons	appelé	j'appellerai	j'appelai	
épeler spell	j'épelle nous épelons	épelé	j'épellerai	j'épelai	

-é . . er verbs

The **é** changes to **è** as above, except in the future:

préférer prefer	je préfère nous préférons	préféré	je préférerai	je préférai	

-yer verbs

The **y** changes to **i** when a mute **e** follows. The change is optional with **-ayer** verbs

appuyer lean	j'appuie nous appuyons	appuyé	j'appuierai	j'appuyai	

-cer, -ger verbs

Verbs in **-cer** change the **c** to **ç**, and verbs in **-ger** change the **g** to **ge**, before **a** and **o**. This is to keep the **c** and **g** as soft sounds.

commencer begin	je commence nous commençons	commencé	je commencerai	je commençai	*present participle* commençant *imperfect* je commençais, nous commencions
manger eat	je mange nous mangeons	mangé	je mangerai	je mangeai	*present participle* mangeant *imperfect* je mangeais, nous mangions

Summary of grammar of book one

Verbs

Tense pattern

Most French verbs have an infinitive (English '*to...*') ending in **-er** and follow this pattern:

infinitive	porter	
present	je porte	nous port**ons**
	tu port**es**	vous port**ez**
	il porte	ils port**ent**
imperative	porte! portons! portez!	
perfect	j'ai port**é**	

Large groups of verbs with infinitives in **-dre** and **-ir** follow these patterns:

infinitive	perdre	
present	je per**ds**	nous per**dons**
	tu per**ds**	vous per**dez**
	il per**d**	ils per**dent**
imperative	perds! perdons! perdez!	
perfect	j'ai per**du**	
infinitive	finir	
present	je fin**is**	nous fin**issons**
	tu fin**is**	vous fin**issez**
	il fin**it**	ils fin**issent**
imperative	finis! finissons! finissez!	
perfect	j'ai fini	

For commands (*imperative*) the **tu, nous** (=*let's...*) and **vous** forms of the present are used. The **-s** of the **tu** form is dropped with **-er** verbs.

Reflexive verbs

s'amuser – je m'amuse   s'arrêter – je m'arrête

French reflexive verbs may correspond to English reflexive verbs (**s'amuser** = *to enjoy oneself*) or may not (**s'arrêter** = *to stop*).

The reflexive pronouns are **me, te, se, nous, vous, se**. Like other object pronouns they go *immediately* in front of the verb:

elle ne s'arrête pas
nous nous sommes bien amusés

In the infinitive the reflexive pronoun changes to suit the main verb:

elle va **se** lever
je vais **me** lever
vous allez **vous** lever

Je me lave les mains. In this type of sentence, where a part of the body belongs to the subject of the sentence, possession is often shown by a reflexive pronoun rather than **mon, ma, mes** etc.

Direct speech

The 'saying' verb after direct speech must *always* stand before its subject in French:

—Oui, dit monsieur Roussel.
—Pourquoi? a-t-il demandé.

Note the hyphen(s) with a pronoun, as in questions.

Infinitives

Verbs are usually joined to a following infinitive by *to* in English (*I want to go*). In French it may be **à**, **de** or nothing at all. This doesn't vary – it is always, for instance, **commencer à** +infinitive, **essayer de** +infinitive, **vouloir** +infinitive.

Pronoun objects stand in front of the infinitive just as they stand in front of other parts of the verb: **sans me voir**.

As well as following verbs, infinitives may follow prepositions or combinations of adjective +preposition:

j'ai passé la journée **sans** manger
il est **interdit de** sortir

Sometimes English uses the *-ing* form after prepositions (**sans manger**, *without eating*). All French prepositions take infinitives, however, except **en** (**en partant**, *whilst leaving*).

Perfect

The perfect tense for most verbs is formed with **avoir** +past participle:

j'ai porté   il a fini

Note that this is the equivalent to *both* the English tenses *I carried*, *I have carried*; *he finished*, *he has finished*.

Eleven important verbs, mostly involving motion, form their perfect with **être** instead of **avoir**. They are **arriver**, **partir**, **entrer**, **sortir**, **aller**, **venir**, **monter**, **descendre**, **rester**, **tomber** and **retourner**. Their past participles agree with their subjects, just as if they were adjectives:

elle est grande – elle est partie

In addition to these verbs, *all* reflexive verbs form their perfect with **être**:

elle ne s'est pas amusée.

Future

To express the future, French uses **aller** +infinitive at least as commonly as the future tense:

tu vas manger
je vais revenir à Boulogne l'année prochaine

Aller +infinitive need not refer to the immediate future, though it does relate the future to the present (in the mind of the speaker of the second sentence above is something like 'because I've liked it so much this year').

Questions

Questions are formed by a rising tone of voice:
elle va?
or by **est-ce que**:
est-ce qu'elle va? (**que** becomes **qu'** before a vowel)
or by inversion plus hyphen(s)
va-t-elle? (can only be used with pronoun subject)
In written French a question beginning with a question adverb takes inversion or **est-ce que**:
à quelle heure pars-tu?
à quelle heure est-ce que tu pars?
In spoken French this is not necessary:
à quelle heure tu pars?
tu pars à quelle heure?

What and *who* in questions

What?
as subject is **qu'est-ce qui**: qu'est-ce qui coûte huit francs?
as object is **qu'est-ce que** or just **que**: qu'est-ce que Marie porte aujourd'hui? que dis-tu?
Who?
as subject is **qui est-ce qui** or just **qui**: qui est-ce qui vous a dit ça? qui arrive?
as object is **qui est-ce que** or just **qui**: qui est-ce que tu as choisi? qui a-t-il regardé?
The longer forms are very common in spoken French. Note that there is no short form for *what?* as subject.

Negatives

The simple negative is **ne...pas**. It goes around the verb:
elle va → elle ne va pas
It also encloses any pronoun objects:
elle le mange → elle ne le mange pas

The negative question forms are:
elle va? → elle ne va pas?
est-ce qu'elle va? → est-ce qu'elle ne va pas?
va-t-elle? → ne va-t-elle pas? (less common form)

Note the position of **ne...pas** in the perfect – around **avoir** or **être**:
je ne l'ai pas regardé   il n'est pas arrivé

Ne...rien (*nothing*), **ne...personne** (*no-one*), **ne...plus** (*no longer*), **ne...que** (*only*), **ne...jamais** (*never*) behave like **ne...pas. Rien** and **personne** can be the subject of their sentence:
personne ne dit ça!   rien ne m'intéresse!
The **que** of **ne...que** goes in front of the word it refers to:
il n'a mangé que deux poires.

Articles etc.

Definite article (*the*):
m: **le**   f: **la**   pl (m and f): **les**
Le and **la** become **l'** before a vowel and before most words beginning with h.

Indefinite article (*a*):
m: **un**   f: **une**   pl (m and f): **des**
English has no plural form of '*a*'; in French however the **des** must appear: *doors* = **des portes**.

Demonstratives (*this*, *that*):
m: **ce**   f: **cette**   pl: **ces**
Ce becomes **cet** before a vowel and most words beginning with h.

Ce means both *this* and *that*. For added emphasis **-ci** (*this*) or **-là** (*that*) may be added to the noun:

ce jeune homme-ci *this* young man
cette jeune fille-là *that* girl

Possessives (*my*, *your etc.*):

m:	f:	pl:
mon	**ma**	**mes**
ton	**ta**	**tes**
son	**sa**	**ses**
notre	**notre**	**nos**
votre	**votre**	**vos**
leur	**leur**	**leurs**

Ma, ta, sa become **mon, ton, son** before a vowel and most words beginning with h. The possessives agree in gender with their noun, not the person they are referring to. So **son pull** means both *his* and *her* pullover, **sa voiture** both *his* and *her* car, **ses chaussures** both *his* and *her* shoes.

Adjectives and adverbs

Most adjectives follow their noun. Exceptions: **beau, gros, petit, nouveau, jeune, vieux, joli**.

Adjectives agree with their noun to indicate gender and plurality:

	singular	plural
m:	-	-s
f:	-e	-es

Examples: un pantalon vert
une cravate verte
des pantalons verts
des cravates vertes
les cravates sont vertes

Exception: **marron** (*invariable*)

A few adjectives with irregular feminines also have special forms before a masculine singular noun beginning with a vowel or h:

masculine	*feminine*	*masculine before vowel*
nouveau	nouvelle	nouvel
beau	belle	bel
vieux	vieille	vieil

Adjectives ending **-er, -if, -x, -eil, -on** have irregular feminines. They become **-ère, -ive, -se, -eille, -onne**. So, cher/chère, décoratif/décorative, hideux/hideuse, pareil/pareille, bon/bonne.

Adjectives (and nouns) ending **-eau** and **-al** have irregular plurals. They become **-eaux, -aux**. Those ending **-x** remain unchanged in the plural. So, beau/beaux, familial/familiaux, heureux/heureux. Note that with adjectives this applies only to the *masculine* plural; the feminine plural is regular:

une salle familiale des salles familiales

Tout (*all*, *any*) has the irregular masculine plural form **tous**. The **-s** of **tous** is pronounced when **tous** stands without a noun (i.e. as a pronoun): C'est le plus loin de tous.

Adverbs are formed by adding **-ment** to the feminine form of the adjective:

certain → certaine → certainement

If the adjective ends in a vowel the masculine form is used:

vrai → vraiment

Comparative and superlative of adjectives and adverbs (*more*, *most*...)

Elle est encore plus loin.
Elle est la plus courte.

French forms the comparative with **plus** and the superlative with **le (la, les) plus**. Note the extra **le** (or **la, les**) with an adjective that follows the noun: le timbre le plus rare – *the rarest stamp*

Elle sort le plus rapidement.

Only **le** (not **la, les**) is used to form superlative adverbs.

The main forms of comparison are: **plus...que** (more...than), **moins...que** (less...than), **aussi...que** (as...as), **pas si...que** (not so...as).

Pronouns

The subject pronouns are **je, tu, il, elle, nous, vous, ils, elles**. **Tu** (and related forms like **ton, toi**, etc.) is used to close friends and relations, classmates and animals, and from adults to children. **Vous** is more formal and polite: it is always used to strangers. In the plural **vous** is always used.

The subject pronoun **on** means *one* in the sense of *people in general*. It sometimes corresponds to an indefinite *we* or *they* in English:

on dit qu'il est assez intelligent – *they say*...

Ce (*this*, *that*, *it*) is used as a pronoun only with **être**: c'est une Peugeot.

Otherwise **ça** or its longer form **cela** is used:

ça (cela) ne marche pas.

Note the form **ce sont** with a plural noun:

ce sont mes chaussures.

The direct object pronouns are **me** (*my, myself*); **te** (*you, yourself*); **le** (*him, it*), **la** (*her, it*), **se** (*him-, her-, itself*); **nous** (*us, ourselves*); **vous** (*you, yourself, -selves*); **les** (*them*), **se** (*themselves*).

Me, te, le, la, se become **m'** etc. before a vowel.

Object pronouns stand *immediately* before the verb, in the perfect immediately before the auxiliary verb (**avoir** or **être**):

je la trouve belle
je ne le trouve pas beau
je ne l'ai pas trouvé

The object pronoun **en** has any of the meanings of **de** + *it* or *them*: *of it, of them, from it, from them*, etc. It can also mean *some* or *any*:

j'en ai...*some*
je n'en ai pas...*any*
il y en a trois...*of them*

As an object pronoun it stands before the verb; note especially its position when used with **il y a**.

Object pronouns *follow* the verb in commands, and are hyphenated to it. **Me** and **te** become **moi** and **toi**:

dis-moi! lève-toi! regardez-la!

In *negative* commands the object pronouns stand in their normal place in front of the verb:

ne te lève pas!

The form of the pronoun not directly attached to the verb is called the disjunctive pronoun. In French the disjunctives are **moi, toi, lui, elle, nous, vous, eux, elles**. They are used by themselves (**Toi!**), after prepositions (**sans eux**), after **c'est** (**C'est lui!**) and to explain a subject pronoun (**Toi et moi, nous allons à Paris**).

Prepositions: de, à

De and **à** join up with **le** and **les** to make **du, des, au, aux**:

m:	f:	pl (m and f):
du	**de la**	**des**
au	**à la**	**aux**

Du and **de la** both become **de l'** before a vowel and most nouns beginning with h. Similarly **au** and **à la** become **à l'**.

Du, de la, des mean *some* as well as *of the*.

Expressions of quantity are followed by **de**, not by **du, de la** or **des**:

du vin — une bouteille de vin

Pas (and other negatives) are also usually followed by **de**:

du vin — pas de vin (*no wine*)

They *can* be followed by **du, de la** or **des** to mean *not*:

ce n'est pas du vin! – *it's not wine!*
je n'ai pas de vin – *I have no wine*

De becomes **d'** before a vowel and most nouns beginning with h.

De also indicates possession: ...*'s* in English is **de** in French:

Fred's book: le livre de Fred

Where the thing possessed doesn't immediately follow in English, **à** is used in French:

the book is Fred's: le livre est à Fred

Relative pronouns: qui and que, ce qui and ce que

Relatives **qui** and **que** mean *who, which, that*. Both refer to both people and things.

Qui is the subject pronoun and is followed by a verb:

ma maison **qui est** très agréable

Que is the object pronoun and is followed by the subject + verb:

le pull **que je préfère**

Note that **que** can also join two clauses, meaning *that*:

il dit que son père vient à pied

Relatives **ce qui** and **ce que** mean *what*.

Ce qui is the subject pronoun and is followed by a verb:

ce qui est difficile, c'est...

Ce que is the object pronoun and is followed by the subject + verb:

je ne sais pas **ce que j'aime** le plus.

Numbers, time, dates etc.

Numbers

un, deux, trois, quatre, cinq, six, sept, huit, neuf, dix, onze, douze, treize, quatorze, quinze,

dix-sept, dix-huit, dix-neuf, vingt, vingt et un, vingt-deux, vingt-trois...
trente, quarante, cinquante, soixante, soixante-dix, soixante et onze, soixante-douze, soixante-treize...
quatre-vingts, quatre-vingt-un, quatre-vingt-deux...
quatre-vingt-dix, quatre-vingt-onze, quatre-vingt-douze...
cent, deux cents, deux cent un, deux cent deux...
mille, deux mille, deux mille un...
un million, deux millions...

No **-s** on **cent** or **vingt** followed by another number; no **-s** ever on **mille** = *thousand.*

Ordinals (*first*, *second etc.*):
premier (f: -ère), deuxième, troisième, quatrième...
If a number ends in **-e**, this is dropped before adding **-ième**: **onzième**.
Cinquième, neuvième are irregular.

Time

Quelle heure est-il? – *What time is it?*
Vous avez l'heure? – *Do you have the right time?*
Il est une heure, une heure dix, une heure et quart, une heure et **demie**, deux heures moins le quart, deux heures moins cinq, deux heures.
Il est midi, minuit, midi dix, minuit et quart, midi (minuit) et **demi**, minuit moins le quart.

Du matin, de l'après-midi, du soir are used to indicate *a.m./p.m.*
Official timetables use the 24-hour clock:
13.35 = treize heures trente-cinq

Days, months, seasons, date

dimanche, lundi, mardi, mercredi, jeudi, vendredi, samedi
janvier, février, mars, avril, mai, juin, juillet, août, septembre, octobre, novembre, décembre
printemps, été, automne, hiver

Days, months, seasons are all masculine and all spelled with a small letter.
In with months and seasons is **en** (except **au printemps**).
Ordinal numbers are not used for dates except *the first*; so:
le deux septembre dix-huit cents, *but*
le premier mai dix-neuf cent quatre-vingts

French–English Vocabulary

This comprehensive vocabulary contains all words used at any point in parts 1 and 2.

Irregular verbs are marked *: their irregularities can be found in the verb list on page 194. A number after the English meaning of a word indicates the first unit in part 2 in which it appears with this meaning. Where no number is given the word in this meaning first appeared in part 1.

abandonner, abandon 11
l'**abbé** (m), (*Catholic church*) Father 16
abominable, dreadful 5
l'**abonnement** (m), season ticket 11
d'**abord**, first of all 1
l'**abri** (m), shelter 44
l'**abricot** (m), apricot
l'**absence** (f), absence 5
absolu, absolute
absolument, absolutely 2
l'**accent** (m), accent
accepter, accept 1
l'**acceuil** (m), reception 45
l'**accident** (m), accident
accompagner, accompany 6
l'**accord** (m), agreement 40
  d'accord, right; in agreement 33
l'**achat** (m), purchase 18
***acheter**, buy
l'**acheteur** (m), (f: **-euse**) buyer 41
***achever**, complete 16
l'**acteur** (m), actor 37
l'**addition** (f), bill
s'**addresser**, apply 11
l'**adieu** (m), (pl: **-x**) goodbye 2
l'**adjectif** (m), adjective 40
l'**adjoint** (m), deputy 28
administratif, administrative 28
admirer, admire 9
adorable, adorable, delightful 30
adorer, adore 30
adulte, adult 24
l'**aéroglisseur** (m), hovercraft 17
l'**aéroport** (m), airport 17
l'**affaire** (f):
  les affaires, things, possessions 6
  une bonne affaire, a good buy 24
affectueusement (*letter ending*), love 20
l'**affiche** (f), notice
affiché, indicated 39
affranchir, stamp (*letter*) 4
affreux, dreadful 4
afin que, so that 43
l'**âge** (m), age
âgé de, aged 37
l'**agence** (f):
  l'agence de voyages, travel agency 7
  l'agence immobilière, estate agency 23
l'**agenda** (m), diary 19
l'**agent** (m), policeman 4
agir, act 24
agité, excited 28
agréable, pleasant
agréer, accept 6
aider, help
l'**aide** (f), help 44
aigu, acute (*accent*)
d'**ailleurs**, moreover, and another thing 23
aimable, nice 10
aimer, like
aîné, eldest 5
ainsi, so, thus 1
  ainsi que, as well as 24
  c'est ainsi, that's how 23
ajouter, add 40
l'**alcool** (m), spirits 17
un **aliment**, a food 35
l'**alimentation générale** (f), food shop
l'**allée** (f), path
l'**Allemagne** (f), Germany
***aller**, go; suit
  s'en aller, go off
un **aller et retour**, return (*ticket*) 12
allô, hello (*on phone*)
allumer, light; switch on
alors, then; well
amadouer, coax 40
l'**amateur** (m), lover 41
l'**ambassadeur** (m), ambassador 41
l'**ambition** (f), ambition 37
l'**amélioration** (f), improvement 24
s'**améliorer**, improve 24
l'**amende** (f), fine 4
américain, American 37
l'**Amérique** (f), America 36
l'**ami(e)** (m, f), friend
  la petite amie, girl-friend
l'**amour** (m), love 31

amoureux, in love 9
l'**amphithéâtre** (m), amphitheatre 37
amusant, fun, amusing 7
s'**amuser**, enjoy oneself
l'**an** (m), year (*when counting*)
l'**ananas**, pineapple
ancien (f: **-nne**), ancient 37; former 40
l'**andouillette** (f), small sausage
anglais, English
l'**anglais** (m), English (*language*)
l'**Angleterre** (f), England 8
l'**anguille** (f), eel 12
l'**animal** (m), (pl: **-aux**) animal 11
l'**année** (f), year
l'**anniversaire** (m), birthday; anniversary 23
annoncé, advertised 12
annuel (f: **-lle**), annual 43
l'**annulation** (f), cancellation 39
anonyme, anonymous 30
l'**anorak** (m), anorak
antique, antique
l'**antiquité** (f), antique
août (m), August
***apercevoir**, catch sight of 22
s'apercevoir, realise 17
***apparaître**, appear 13
l'**appareil** (m), apparatus, phone
l'appareil (photo), camera 38
l'**appartement** (m), flat
l'**appât** (m), bait 12
***appeler**, call
s'appeler, be called
l'**appétit** (m), appetite 12
l'**appoint** (m), exact amount, correct change 39
apporter, bring
l'**appréciation** (f), appreciation 36
***apprendre**, learn
s'**approcher de**, approach 12
***appuyer**, press
après, after
d'après, according to 13
l'**après-midi** (m *or* f), afternoon
l'**aqueduc** (m), aqueduct 37
l'**arbitre** (m), referee 36
l'**arbre** (m), tree
l'**arc** (m) **de triomphe**, triumphal arch 8
l'**arche** (f), arch 37
l'**architecture** (f), architecture 37
l'**argent** (m), money; silver 33
l'**armée** (f), army 41
l'**armoire** (f), wardrobe
l'**arrêt** (m), stop, stopping 4
l'**arrêté** (m), decree 45
s'**arrêter**, stop
arrêter (le ballon), save (*football*) 36
arrière, rear 39
arriver, arrive; happen
l'**art** (m), art 45
l'**artichaut** (m), artichoke 35
l'**article** (m), article
l'**artiste** (m), artist 32
l'**ascenseur** (m), lift 34
l'**aspirateur** (m), vacuum cleaner 17
l'**aspirine** (f), aspirin
*s'**asseoir**, sit down
assez, enough; quite
j'en ai assez, I've had enough 1
l'**assiette** (f), plate 11
l'**assistant** (m), assistant 43
assister, be present
assuré, guaranteed 11
l'**assortiment** (m), assortment 36
l'**attaché(e)** (m, f), attaché 41
s'**attacher à**, devote oneself to 35
l'**attaque** (f), attack 36
attaquer, attack
atteindre, reach 25
attendre, wait for; expect 28
l'**attente** (f), anticipation 26
l'**attention** (f), attention
attention! look out!, warning!
faire attention à, pay attention to 14
attentivement attentively 30
attirer, attract 38
attraper, catch 12
l'**auberge** (f) **de jeunesse**, youth hostel 18
aucun (f: **-e**), no 2
au-dessus de, above 17
augmenter, increase 41
aujourd'hui, today
auparavant, previously 28
auprès de, with 40
aussi, also, too, as
aussitôt que, as soon as 9
autant que, as much as 23
l'**auteur** (m), author 11
authentique, genuine 37
l'**auto** (f), car 33
l'**autobus** (m), bus 4
l'**automne** (m), autumn
autorisé, authorized 45
l'**autoroute** (f), motorway 10
l'**autostop** (m):
faire de l'autostop, hitchhike 44
autour de, around 17
autre, other
d'autres, others 28
l'**Autriche** (f), Austria 10

avaler, swallow 16
l'**avance** (f), advance 24
d'avance in advance 20
en avance, early 2
avant, before
avant de, before 34
avant-hier, the day before yesterday 9
avec, with
l'**avenir** (m), future 16
l'**avenue** (f), avenue
l'**avion** (m), plane
l'**avis** (m), opinion 41
***avoir**, have
avoir chaud, froid, be hot, cold 11
avoir l'air, look, appear
avouer, admit 19
avril (m), April

le **bac**, ferry 33
les **bagages** (m), luggage 23
la **bagatelle**, trifle, mere nothing 5
la **bague**, ring 38
la **baguette**, long thin loaf
la **baignade**, bathing 11
se **baiger**, bathe 9
la **baignoire**, bath(tub) 7; box behind the stalls (*theatre*) 32
le **bain**, bath 7
le **baiser**, kiss 2
bons baisers de, love from 45
la **baisse**, price cut 22
baisser, lower, hang 9
le **bal**, ball, dance 23
la **balance**, scales 25
le **balcon**, balcony 25
la **balle**, bullet
le **ballon**, ball 36
le **banc**, bench
la **bande**, tape 14
la **banlieue**, suburbs 30
la **banque**, bank 1
le **bar**, bar 18
la **barbe**, beard
la **barrière**, barrier 30
bas (f: **-sse**), low 38
d'en bas, below, downstairs 23
le **basket**, basketball 23
le **bassin**, pool 2
le **bateau**, boat 2
le bateau-mouche, river boat 2
le **bâtiment**, building 30
le **bâtonnet de poisson**, fish-finger 12
***se battre**, fight 34

beau (f: **belle**), handsome, beautiful; fine
beaucoup, much, a lot
le **beau-frère**, brother-in-law 40
la **beauté**, beauty 15
le **bébé**, baby
la **Belgique**, Belgium 8
ben oui, why yes 4
le **berger**, shepherd 44
besoin:
avoir besoin de, need 14
bête, stupid 33
la **bête**, animal 37
le **béton**, concrete 17
le **beurre**, butter
la **bibliothèque**, library 14
la **bicyclette**, bicycle
le **bidet**, bidet 7
bien, well
bien que, although 43
bien sûr, of course
eh bien, well then
le **bien-être**, well being 45
bientôt, soon
la **bière**, beer
le **bijou**, jewel 38
le **bikini**, bikini
le **billet**, ticket; (bank)note 26
la **biscotte**, rusk 35
blaguer:
tu blagues, you must be joking 33
blanc (f: **-che**), white
le **blé**, corn 42
blessé, injured
bleu, blue
le **blue-jean**, (pair of) jeans
le **bœuf**, beef
***boire**, drink
le **bois**, wood 30
la **boisson**, drink 35
la **boîte**, box; tin 25
le **bol**, bowl 11
bon (f: **-nne**), good, right
le **bonbon**, sweet 22
la **bonde**, (bath) plug 7
le **bonheur**, happiness 2
la **bonneterie**, knitwear 14
le **bord**, edge 12
au bord de, alongside 30
la **botte**, boot
botter, kick 36
la **bouche**, mouth
le **boucher**, butcher 1
la **boucherie**, butcher's
le **bouchon**, cork; float (*fishing*) 12

la **boucle d'oreille**, (pl: **-s -s**) ear-ring 33
bouger, move 12
la **boulangerie**, baker's
la **boule**, scoop, portion (*ice-cream*)
les boules (French) bowls
bouleversé, taken aback 16
le **boulot**, (*slang*) job 12
la **boum**, party
le **bouquet**, bunch 27
le **bout**, end 12
la **bouteille**, bottle
le **bouton**, button
le **bracelet**, bracelet
la **branche**, branch 42
brancher, plug in 14
le **bras**, arm
bras dessus bras dessous, arm-in-arm 2
bref, in short 4
la **brème**, bream 12
la **Bretagne**, Brittany 10
le **bricolage**, do-it-yourself 3
le **bridge**, bridge (*game*) 3
bronzé, sunburnt 8
la **brosse à dents**, toothbrush
se **brosser**, brush
le **brouillard**, fog
le **bruit**, noise 1
brûler, burn 23; go through (*lights*) without stopping 30
brun, brown 9
brusquement, abruptly 30
la **brute**, brute 16
Bruxelles, Brussels 10
le **buffet**, sideboard 7
le **buisson**, bush 42
le **bulletin météo**, weather forecast 24
le **bureau**, desk 4; office 10
le bureau de poste, post office
le **bus**, bus
le **buste**, bust 28
le **but**, goal
la **buvette**, refreshment bar 14

ça, that
ça alors, for heaven's sake
c'est ça, that's right
la **cabine**, kiosk 19
la cabine d'essayage, fitting cubicle
le **cabinet**, office 42
le cabinet de consultation, surgery
cacher, hide 13
le **cadeau**, present
cadet, youngest 1
le **cadran**, dial
le **café**, café; coffee
la **cafetière**, coffee pot 7
la **cage**, cage 12
le **cahier**, exercise book 14
le **caillou**, (pl: **-x**) pebble 45
la **caisse**, cash desk; case, box; cash register 25
la (grosse) caisse, big drum 23
calmer, calm down
le **calvaire**, calvary, wayside cross 33
le **camembert**, camembert (*cheese*) 16
la **caméra**, cine-camera 38
le **camion**, lorry 18
la **camionnette**, van 1
la **campagne**, country 9
le **campeur**, camper 45
le **camping**, camping; campsite 19
le **canal**, canal, conduit 37
le **canapé**, sofa, settee
le **canard**, duck 42
la **canne à pêche**, fishing rod 12
la **capacité**, capacity 45
le **capitaine**, captain 17
le **capot**, bonnet (*car*) 1
le **car** (**=l'autocar**), coach
la **carafe**, carafe, water jug 11
le **caramel**, caramel
la **caravane**, caravan 42
le **car-ferry**, car ferry 17
le **carnet**, booklet
la **carotte**, carrot 35
la **carpe**, carp 12
carré, square 37
la **carrière**, career 1; quarry 33
la **carte**, map; menu 36
la carte de crédit, credit card 18
la carte d'identité, identity card
la carte postale, postcard 7
le **carton**, cardboard box 25
le **cas**, case 40
en cas de, in case of 11
le **casier**, locker 29
le **casque**, helmet 1
casser, break 1
la **casserole**, pan 7
la **cassette**, cassette 7
le **cassis**, blackcurrant
la **catégorie**, category 45
la **cause**:
à cause de, because of
pour cause de, because of 44
causer, chat 23
la **cave**, cellar
la **caverne**, cave 42

***céder**, give (way)
cédille, cedilla (*accent*)
la **ceinture**, belt
***célébrer**, conduct 28
le **censeur**, deputy headmaster 43
la **centaine**, about a hundred 32
le **centime**, centime
le **centimètre**, centimetre 13
le **centre**, centre 44
la **cérémonie**, ceremony 23
sans cérémonie, unceremoniously 23
certain, certain
certainement, certainly
C.E.S. (=**Collège d'Enseignement Secondaire**), (comprehensive) secondary school 34
cesse:
sans cesse, without stopping
c'est-à-dire, that's to say
la **chaise**, chair
la **chaleur**, heat 44
la **chambre**, bedroom
le **chameau**, camel 12
le **champ**, field 12
le **champignon**, mushroom
le **champion** (f: **-nne**), champion 15
la **chance**, luck
***changer**, change (=*alter*)
changer de, change (=*exchange*) 23
chanter, sing 16
le **chapeau**, hat 40
chaque, every
le **charbon**, coal
la **charcuterie**, cold cooked meat
le **chariot**, trolley 33
charmant, fascinating 15
la **chasse**, shooting, hunting 21
le **chat**, cat
le **château**, château, country house 25
le château d'eau, water tower 33
le **chaton**, kitten 39
chaud, hot
chauffé, heated 11
le **chauffeur**, driver
la **chaussée**, roadway, road surface 1
chausser, take (a size in shoes) 13
la **chaussette**, sock
la **chaussure**, shoe
chauve, bald 30
le **chef**, chief; head
le chef de musique, musical director 23
le chef d'orchestre, conductor 32
le **chemin de fer**, railway 40
la **cheminée**, chimney 3; fireplace 44
la **chemise**, shirt
le **chemisier**, blouse
le **chèque de voyage**, traveller's cheque 26
cher (f: **-ère**), dear
chercher, look for
le **chercheur**, seeker, searcher 44
chéri(e), darling
le **cheval** (pl: **-aux**), horse
les **cheveux** (m), hair
la **cheville**, ankle 44
chez, with, at...'s
le **chien**, dog 5
le **chiot**, puppy 40
choisir, choose
le **choix**, choice 17
la **chose**, thing
le **chou** (pl: **-x**), cabbage 35
mon petit chou, darling 44
la **choucroute**, sauerkraut
chouette! great! 33
le **chou-fleur**, cauliflower 33
le **chrétien**, Christian 37
le **chrysanthème**, chrysanthemum 9
ci-contre, opposite
le **cidre**, cider 35
le **ciel**, sky 9
la **cigarette**, cigarette
le **cimetière**, churchyard 22; cemetery 27
le **cinéma**, cinema
la **cinquantaine**, about fity 33
circonflexe, cirumflex (*accent*)
la **circulation**, traffic 33
le **cirque**, circus 31
le **citron**, lemon
la **civelle**, elver (young eel) 12
clair, clear 34
le **clair de lune**, moonlight 9
la **classe**, class 34
le **classement**, classification 45
le **classeur**, file
la **clé**, **clef**, key
le **client**, customer 14
la **clientèle**, clientele, customers 36
le **clignotant**, flashing indicator 39
le **climat**, climate 37
le **clochard**, tramp 2
la **clôture**, fence 3
le **cochon**, pig 42
le **code**:
mettre les phares en code, dip headlights 39
le **coffre**, boot (*car*), 39
le **cognac**, brandy 18
le **coin**, corner
le **collant**, (pair of) tights

le **collège** (secondary) school 9
coller, stick
le **collier**, necklace 38
la **collision**, collision, crash 1
la **colonisation**, colonisation, settlement 37
la **colonne Morris**, advertising pillar 32
le **combat**, combat, fight 37
combien (de), how much, how many
la **combinaison**, combination 28
le **combiné**, receiver
commander, order
comme, as; by way of; how
le **commencement**, beginning 15
***commencer à**, begin to
comment? pardon?
le **commissaire**, inspector 11
la **commune**, commune (*smallest French territorial unit*, =*parish*) 28
la **compagne**, (girl) companion 44
la **comparaison**, comparison 17
en comparaison de, in comparison with 17
comparer, compare 32
la **compétition**, competition
***compléter**, complete
le **compliment**, compliment 24
mes compliments à, my regards to 26
compliqué, complicated 31
comporter, comprise
composer, compose, make up 35
compréhensible, comprehensible 17
***comprendre**, understand; include 6
compter, count 13; intend 44
le **compte rendu**, report
le **compteur**, meter
le **comptoir**, counter 25
se **concentrer**, concentrate 23
concernant, concerning 13
le **concert**, concert
concorder, agree 24
le **concours**, competition 15
le **conducteur**, driver 1
conduire, drive 1; take to 29
la **conférence**, lecture 43
la **confiture**, jam
la confiture de pêches, peach jam
se **conformer à**, conform to, follow 29
confortable, comfortable
la **confusion**, confusion 19
le **congé**:
le jour de congé, holiday 9
le **conjoint**, husband or wife
la **connaissance**, acquaintance
faire la connaissance de, meet
***connaître**, know 8
se connaître à, be expert in 21
le **conseil**, advice 28
conseiller, advise
la **conséquence**, consequence 5
conserver, keep 4
***considérer**, consider 13
la **consigne**, left-luggage office 29
consigné, charged (as deposit)
le **consommé**, clear soup 35
la **construction**, construction 37
***construire**, construct 36
consulaire, consular 41
consulter, consult
content, happy
continuer, continue 12
le **contraire**, opposite 28
au contraire, on the contrary 28
la **contravention**, infringement (of law), parking ticket 4
la **contrebasse**, double bass
à **contrecœur**, reluctantly 23
contredit:
sans contredit, indisputably 35
conventionnel (f: **-lle**), conventional 33
la **conversation**, conversation
le **copain**, pal 40
Copenhague (f), Copenhagen 10
la **corbeille (à linge)**, (linen) basket 7
le **corner**, corner (kick) 36
corriger, correct 10
la **Corse**, Corsica 10
le **costume**, (woman's) suit 24
la **côte**, rib, chop
le **côté**, side
à côté de, beside
la **côtelette**, cutlet, chop 35
le **cou**, neck
se **coucher**, go to bed 3
couler, flow 23
la **couleur**, colour
le **coup**, blow
d'un coup, all at once 44
le coup de fusil, shot
le coup d'envoi, kick off 36
le coup franc, free kick 36
couper, cut
le **couple**, couple
courageux, courageous 3
courant, of this month, 'inst.' 6
***courir**, run 2; race 27
le **courrier**, mail 9
la **course de taureaux**, bull fight 32
court, short
le court métrage, short (*film*) 29

le **cousin** (f: **-e**), cousin
le **couteau**, knife
coûter, cost
coûteux, expensive 5
le **couvert**, place-setting 11
mettre le couvert, lay the table 11
enlever le couvert, clear the table 11
la **couverture**, (bed)cover 7
***couvrir**, cover
le **cowboy**, cowboy 14
la **craie**, chalk 14
***craindre**, fear 25
craquer, crack 40
la **cravate**, tie
le **crayon**, pencil
la **crème**, cream
le grand (café) crème, large white coffee 32
la **crémerie**, dairy 36
la **crêpe**, pancake 45
crevé, punctured 39
crier, shout
le **crocodile**, crocodile 44
***croire**, believe
croissant, growing 17
le **croissant**, croissant roll
la **croix**, cross 30
cru, raw 35
la **cruche**, jug
cruel (f: **-lle**), cruel 38
la **cuiller**, spoon 11
le **cuir**, leather 36
***cuire**, cook 35
la **cuisine**, kitchen; cooking 18
la **cuisinière**, cooker 7
cuit → **cuire**
de **culture**, cultured (*pearl*) 38
le **curé**, (parish) priest 40
curieux, curious
le **cyclisme**, cycling 21
le **cycliste**, cyclist

la **dame**, lady
le **dancing**, dance hall 22
le **Danemark**, Denmark 10
le **danger**, danger 1
dangereux, dangerous 1
dans, in
danser, dance
la **date**, date
dater de, date from
se **débarrasser de**, get rid of
debout, standing 36
le **début**, beginning 15
décembre (m), December
***décevoir**, disappoint 9
décharger, unload 19
déchirer, tear 5
décider de, decide 9
la **décision**, decision 39
décoratif (f: **-ve**), ornamental
découplé:
bien découplé, well-built 35
***découvrir**, discover
décrire, describe
décrocher, unhook
dedans, inside 19
défaire, unfasten 18
le **défaut**, lack 4
défendre, forbid 35
la **défense**, defence 36
le **défilé**, procession 14
déformé, uneven 1
les **dégâts** (m), damage 5
dégoûtant, disgusting 4
dehors, outside 9
en dehors de, outside 11
déjà, already
déjeuner, have lunch
le **déjeuner**, lunch
le petit déjeuner, breakfast
au **delà de**, beyond 11
délabré, delapidated 30
demain, tomorrow
la **demande**:
la demande en divorce, divorce petition 16
la demande en mariage, proposal 27
demander, ask
démarrer, start (*vehicle*) 1
la **demi-carafe**, half carafe
la **demi-douzaine**, half dozen
la **demie**, half
demi-gros, semi-wholesale 14
la **demi-heure**, half hour
la **demoiselle**, young lady, 'damsel' 19
la **dent**, tooth
le **dentiste**, dentist 22
le **départ**, departure
départemental, of the Department 23
se **dépêcher**, hurry
dépendre de, depend on 12
dépenser, spend 33
depuis, for 9
déranger, disturb, trouble 40
dernier, last 1
derrière, behind
dès, from, as long ago as 1

dès aujourd'hui, right away today 13
désagréable, unpleasant 4
désarmant, disarming 4
le **désastre**, disaster 5
descendre, go down; get down
descendre à, stay at (*hotel*) 34
la **description**, description 14
se **déshabiller**, get undressed 7
désigner, assign 4
le **désir**, desire 23
désirer, want, require 14
désolé, very sorry 43
dessus, on it
du dessus, upstairs 23
la **destination**, destination 34
le **détail**, detail 13; retail 14
détestable, detestable 4
détester, hate, detest 30
détraqué, out of order 43
la **détresse**, distress 19
à **deux**, with just two of you 9
devant, in front of
***devenir**, become 9
deviner, guess 5
***devoir**, must
les **devoirs** (m), homework 9
la **diapositive**, slide 14
le **dictionnaire**, dictionary 14
le **dieu**, god
mon Dieu, my goodness
la **différence**, difference 12
différent, different 1
difficile, difficult
la **difficulté**, difficulty
le **digestif**, after-dinner (lunch) drink 28
le **dimanche**, Sunday
la **dimension**, dimension 13
la **dinde**, turkey
le **dîner**, dinner 11
dîner, have dinner
le **dinghy**, dinghy 45
le **diplomate**, diplomat 41
***dire**, say
direct, direct
directement, directly
le **directeur**, headmaster 43
la **direction**, direction
la **discothèque**, disco
discuter, discuss 14
se **disputer**, argue
le **disque**, record; disc 4
distingué, distinguished 6
le **distributeur**, dispenser 4
la **dizaine**, about ten 33
le **docteur**, doctor
le **dodo** (*children's language*) sleep 12
le **doigt**, finger
à **domicile**, home (*adj*) 43
dominer, dominate 24
dommage (m), a pity
donc, then; so; do...; for heaven's sake
donner, give; look out (on)
donner à manger à, feed 12
dont, of whom, of which 35
***dormir**, sleep 7
le **dortoir**, dormitory 18
le **dos**, back
la **douane**, customs 17
doublé, dubbed 32
doubler, overtake 1
doucement, gently 1
la **douche**, shower 3
le **doute**, doubt
Douvres, Dover 17
doux (f: **-ce**), gentle, sweet 17; mild (*of weather*) 24
la **douzaine**, dozen
le **drap**, sheet 7
dresser, make out, lodge 4; train 40
se dresser, sit up 44
droit, upright, straight
la **droite**, right-hand side
à droite de, to the right of
drôlement, terribly 44
la **dune**, dune 9
dur, hard, hard-boiled 36
la **durée**, length (of time) 4
durer, last 20
la **dureté**, hardness 42

l'**eau** (f), water
échapper, escape 12
l'**écharpe** (f), scarf 15; sash 28
l'**échelle** (f), ladder 16
l'**écho** (m), echo 9
l'**éclaircie** (f), bright interval 24
l'**école** (f), school
l'**économie** (f):
faire des économies, save up 1
économique, economical
économiser, save
l'**Écosse** (f), Scotland 10
écouter, listen to
l'**écran** (m), screen 14
***écrire**, write
l'**écriture** (f), handwriting 5
l'**écume** (f), foam, spray 17
l'**édifice** (m), (public) building 32

étouffer, choke 21
***être**, be
étroit, narrow 5
l'**étude** (f), study 8
l'**étudiant** (m), student 42
eu → **avoir**
euh, er
l'**Europe** (f), Europe 8
eux (m), them
éventuel (f: **-lle**), possible, prospective 41
éventuellement, if applicable
évident, obvious
évidemment, obviously
l'**évier** (m), sink 7
éviter, avoid 24
exact, exact
exactement, exactly
l'**examen** (m), examination 44
examiner, examine 12
***excéder**, excede 13
excellent, excellent 23
l'**excès** (m), excess 24
l'**excuse** (f), excuse 13
excuser, excuse
s'excuser, be sorry, apologize 16
l'**exemple** (f), example
par exemple, for example
s'**exercer**, practise 23
l'**exercise** (f), exercise 3
l'**expert** (m), expert 32
expliquer, explain 34
exploser, explode 16
l'**explosion** (f), explosion 30
exposer, expose 45
l'**exposition** (f), exhibition 45
exprès, on purpose
l'**expression** (f), expression 6
l'**extérieur** (m), outside 5
extra, great 5
extraordinaire, extraordinary 5
extraordinairement, extraordinarily 5

face à, opposite 2
en face de, opposite 18
fâché, cross 23
facile, easy
faciliter, facilitate, make easier 37
la **façon**, way
de toute façon, anyway, in any case
le **facteur**, postman 5
la **faculté**, (academic) staff 43
faible, weak 24
faim:
avoir faim, be hungry
***faire**, make; do; pack 30
faire demi-tour, turn round
faire jouer, play (*record etc.*) 7
ne t'en fais pas, don't worry 1
que faire? what shall we do? 21
le **faire-part**, announcement 16
le **faisan**, pheasant 21
la **falaise**, cliff 45
***falloir**, be necessary, must
il me faut, I need
familial (pl: **-aux**), family
la **famille**, family
farineux, farinaceous, starchy 35
fatigué, tired 9
faux (f: **-sse**), false, wrong
la **faute**, fault, mistake
le **fauteuil**, armchair; stall (*theatre*) 29
favorable, favourable 37
favori (f: **-ite**), favourite
favoriser, favour 37
fêlé, cracked 44
la **félicitation**, congratulation 16
le **félin**:
les grands félins, big cats 12
la **femme**, wife; woman
la **fenêtre**, window
la **fente**, slot 29
la **ferme**, farm 42
fermer, close
fermer à clef, lock 5
la **fermeture**, closing 45
le **fermier**, farmer 42
la **ferraille**, scrap metal 1
la **fête**, fête, fair 23; holiday 45
la fête communale, town fair 23
le **feu**, fire 44
les feux, traffic lights 18
la **feuille**, leaf 9
le **feuillet**, form, slip 4
février (m), February
fiancé, engaged 15
la **ficelle**, string 13
la **fiche**, form
se **ficher bien de**, not care twopence about 32
fidèle, faithful 35
fier (f: **-ère**), proud 23
la **figure**, face
se **figurer**, imagine 5
la **file**, file, line 17
le **filet**, net, rack 33
la **fille**, girl; daughter
la jeune fille, girl
le **film**, film
le **fils**, son

la **fin**, end 1
fin, fine 9
finalement, finally 5
la **fine,** (liqueur) brandy 28
finir, finish
le **flambeau**, torch 23
le **flanc**, flank
flâner, stroll
la **fleur**, flower 9
la **fleuriste**, florist 27
le **flocon**, flake 44
la **flûte**, flute
la **fois**, time
la **folie**, madness, distraction 9
foncé (*invar.*), dark (*of colour*) 14
fonctionner, work 10
le **fond**, back 7
le **football**, football
la **force**, force 9
de toutes ses forces, with all his might 44
forestier, forest 33
la **forêt**, forest
la **formalité**, formality 17
la **formation**, formation
la **forme**:
en pleine forme, on top form 15
former, form
formidable, terrific
fort, loud 17; hard 44
le **fort**, fort 33
fou (f: **folle**), mad, crazy, uncontrollable 2
un argent fou, a crazy amount of money 37
fouetter, whip 44
la **foule**, crowd 45
(se)**fouler**, sprain 5
la **fourchette**, fork
le **foyer**, foyer, entrance-hall 29
frais (f: **-aîche**), fresh 35
la **fraise**, strawberry
le **franc**, franc
français, French
la **France**, France
frapper, hit
frapper du pied, stamp 23
fréquenté, busy, crowded 17
le **frère**, brother
le **frigo**, fridge
froid, cold
le **fromage**, cheese
le **fruit**, fruit
fumer, smoke
furieux, furious
le **fusil**, rifle

la **gâchette**, trigger
gagner, win
la **galerie**, roof-rack 39
le **gant**, glove
le **garage**, garage
la **garantie**, guarantee 24
le **garçon**, boy
le garçon (de restaurant), waiter 8
garde:
prendre garde, take care 24
garder, keep
le **gardien**, keeper 12
la **gare**, station
la gare des aéroglisseurs, hoverport 17
la gare routière, bus, coach station
le **gâteau**, cake 35
à **gauche de**, to the left of
le **gaz**, gas 33
gazeux, fizzy 35
les eaux gazeuses, fizzy drinks 35
***geler**, freeze
le **gendarme,** (state) policeman
la **gendarmerie**, police station
en **général**, in general 4
Genève (f), Geneva 8
le **genou** (pl: **-x**), knee
les **gens** (m), people 28
gentil (f: **-lle**), nice
la **géographie**, geography 34
la **gifle**, slap 16
le **gilet**, vest 22
le **girafe**, giraffe 12
la **glace**, ice
la **gloire**, glory 33
le **golf**, golf course 22
le **golfe de Gascogne**, Gulf of Gascony (=Bay of Biscay) 33
la **gomme**, rubber 14
gonflé, swollen 44
le **gorille**, gorilla 12
le **goujat**, lout 16
le **goût**, taste
le **goûter**, tea (*meal*)
le **gouvernement**, government
le **gramme**, gram
grand, big; great
la **grandeur**, grandeur, size 37
la **grand-maman**, grandma 22
la **grand-mère**, grandmother
grand ouvert, wide open 44
le **grand-père**, grandfather
la **grand-rue**, high street 1
les **grands-parents** (m), grandparents
gras (f: **-sse**), fat, stout 35

gratuit, free
grave, grave (*accent*); serious 30
la **grève**, strike 44
en grève, on strike 44
griller, grill 35
la **grippe**, flu 16
gris, grey
le **grondement**, roar, rumble 17
gros (f: **-sse**), big
grossier, vulgar, rude 16
grossir, put on weight 35
le **groupe**, group
la **grue**, crane 17
guérir, cure 5
la **guerre**, war 33
le **guichet**, ticket window
le **guide**, guide 22
guillotiner, guillotine 16
la **guitare**, guitar 2
la **gymnastique**, gymnastics 3

l'**habillement** (m), clothing 31
s'**habiller**, get dressed
l'**habitant** (m), inhabitant 28
habiter, live (at)
d'**habitude**, usually
la **haie**, hedge 42
halte! stop! 1
le **hamster**, hamster 35
la **hanche**, hip 13
le **hangar**, shed 17
le **haricot (vert), (French)** bean 35
le **hasard**, chance 28
la **hâte**:
en toute hâte, in a great hurry 28
la **hausse**, rise 24
haut, high 13
la **hauteur**, height 13
le **haut-parleur**, loudspeaker 14
l'**herbe** (f), grass 42
l'**héritier** (m), heir 13
l'**héroïne** (f), heroine 2
le **héros**, hero 2
hésiter, hesitate
l'**heure** (f), hour; time
à l'heure, on time 23
de bonne heure, early
une heure, one o'clock
heureusement que, luckily 10
heureux (f: **-se**), happy
hideux (f: **-se**), hideous
hier, yesterday
l'**histoire** (f), story; history 33
l'**hiver** (m), winter

l'**H.L.M. (=habitation à loyer modéré)** (f), council flat 21
l'**homme** (m), man
homologué, officially authorized 34
l'**honneur** (f), honour 23
l'**hôpital** (m), hospital 34
l'**horaire** (m), timetable 33
l'**horizon** (m), horizon 45
l'**horloge** (f), clock
l'**horreur** (f), horror 28
horrible, horrible
horrifié, horrified 15
hors:
hors d'haleine, out of breath 27
les hors d'œuvre (m), hors d'œuvre, starters (*meal*) 35
hors taxe, duty free 17
l'**hôtel** (m), hotel
l'hôtel de ville (m), town hall
l'**hôtesse** (f), hostess 17
l'**hovercraft** (m), hovercraft 17
l'**hoverport** (m), hoverport 17
l'**huile** (f), oil
l'**humeur** (f), humour, temper 34
humide, wet 34
la **hutte**, hut 44
l'**hygiène** (f), hygiene
l'**hypermarché** (m), hypermarket 5

ici, here
l'**idée** (f), idea
illuminer, light up 30
imaginaire, imaginary 33
l'**imbécile** (m), idiot
l'**immatriculation** (f), registration (number) 4
immédiatement, immediately 18
immense, immense 32
l'**immeuble** (m), block of flats 18
l'**impatience** (f), impatience 12
s'**impatienter**, get impatient 7
impénétrable, impenetrable 17
l'**imperméable** (m), raincoat
l'**importance** (f), importance 13
important, important
imposant, imposing 37
impossible, impossible
l'**impôt** (m), tax 20
l'**impression** (f), impression 17
impressionné, impressed 1
imprévu, unexpected 2
imprudent, unwise 31
inachevé, unfinished 16
incapable, incapable 19
s'**incliner**, bow 14

l'**incrédulité** (f), incredulity 17
incroyable, incredible 16
indépendamment, separately, independently 33
les **indications** (f), directions 29
indiquer, point to 7
l'**individu** (m), individual 16
indulgent, indulgent, kind 28
inexprimable, inexpressible 17
l'**infirmière** (f), nurse 43
les **informations** (f), news (*TV*, *radio*)
l'**ingénieur** (m), engineer 8
inhabité, uninhabited 28
injurier, insult 16
inoubliable, unforgettable 9
inouï, unheard of 24
***inquiéter**, worry 21
s'inquiéter, become worried 19
***s' inscrire**, register 18
inséparable, inseparable 9
insignifiant, insignificant 37
insister, insist 40
installer, install, set up
l'**instant** (m), instant
l'**instruction** (f), instruction 43
l'**instrument** (m), instrument
insupportable, unbearable
intégral, complete 37
intelligent, intelligent
l'**interdiction** (f), ban, prohibition 1
interdit, forbidden
intéressant, interesting
intéresser, interest
s'intéresser à, be interested in 6
intérieur, indoor 12
interposer, interpose 40
interroger, question 15
l'**intervention** (f), assistance 29
l'**interview** (f), interview 5
l'**introduction** (f), insertion 4
***introduire**, put (in)
introuvable, not to be found 4
inventer, invent
l'**inversion** (f), inversion
l'**invitation** (f), invitation 16
inviter, invite 23
l'**Irlande** (f), Ireland 10

jamais, ever
à jamais, for ever 30
ne...jamais, never
la **jambe**, leg
le **jambon**, ham
janvier (m), January
le **Japon**, Japan 11
le **jardin**, garden 2
le **jardinage**, gardening 3
jaune, yellow
***jeter (je jette)**, throw 23
le **jeton**, token 39
le **jeu**, game
le **jeudi**, Thursday
jeune, young
la **jeunesse**, youth 42
le **jockey**, jockey 41
la **joie**, joy 17
***joindre**, join 25
joli, nice, pretty
jouer, play
le **joueur**, player 21
le **jour**, day
de nos jours, nowadays 28
faire jour, become light 44
le jour férié, public holiday
le **journal**, newspaper
le **journaliste**, journalist 10
la **journée**, day 2
joyeux, happy, joyful 2
le **juge de touche**, touch judge 36
juillet (m), July
juin (m), June
le **jumeau** (f: **-elle**), twin 43
la **jupe**, skirt
jusqu'à, as far as
jusqu'à ce que, until 43
juste, just 16
justement, exactly 13
justiciable de, subject to 4

le **kilo**, kilogram
le **kilomètre**, kilometre
le **kiosque**, kiosk 2

là, there
par là, over there, that way 20
là-bas, over there 20
labourer, plough 42
le **lac**, lake 42
laid, ugly
laisser, let 1; leave 4
le **lait**, milk
la **laitue**, lettuce 24
la **lampe**, lamp
la lampe de poche, torch 44
***lancer**, throw 21
large, broad, wide 13
la **largeur**, breadth, width 13
la **larme**, tear 19

le **lavabo**, wash-basin 7
laver, wash
la **laverie automatique**, launderette
le **laveur de carreaux**, window cleaner 8
le **lave-vaisselle**, dishwasher 7
la **leçon**, lesson 8
léger (f: **-ère**), light 4
le **lendemain**, following day 23
lent, slow
lentement, slowly
lequel (f: **laquelle**, pl: **lesquel(le)s**), which 27
la **lessive**, laundry, washing
la **lettre**, letter
la **levée**, postal collection
*se **lever**, get up
la **liaison**, communication 33
la **libération**, liberation 23
libre, free
le libre service, self-service
le **lieu**, place 4
la **ligne**, line 2
la **limonade**, (fizzy) lemonade 36
la **limite**, limit, end 12
limiter, limit
le **linge**, washing 7
le **lion**, lion 12
la **liquidation**, clearance 24
***lire**, read 13
Lisbonne (f), Lisbon
la **liste**, list
le **lit**, bed
le **litre**, litre
le **littoral**, coast 24
la **livraison**, delivery 31
le **livre**, book
la **livre**, pound 25
livrer, deliver 43
le **livret**, booklet 13
la **location**, rent 42
la **locomotive**, engine 33
la **loge (de troisième)**, (balcony) box (*in theatre*) 32
loin (de), far (from)
le **loisir**, leisure 36
Londres (f), London 10
long (f: **-gue**), long
avoir ... de long, be ... long 13
le long de, along
longtemps, a long time 8
la **longueur**, length 12
en longueur, lengthwise 28
lorsque, when 37
louer, rent
le **loup**, wolf 44
lourd, heavy 5
la **lueur**, light, glow 44
la **lumière**, light 30
le **lundi**, Monday
les **lunettes** (f), spectacles
le **Luxembourg**, Luxemburg 8
luxueux, luxurious 17

la **machine**, machine
la machine à écrire, typewriter 5
la machine à laver, washing machine 7
le **maçon** (stone), mason 37
madame (pl: **mesdames**), madam; Mrs
mademoiselle (pl: **mesdemoiselles**), miss
le **magasin**, shop
le **magnétophone**, tape recorder 7
magnifique, magnificent 4
mai (m), May
maigre, thin, lean 35
maigrir, slim 35
la **main**, hand
maintenant, now
le **maire**, mayor 28
la **mairie**, town hall 22
la **maison**, house
mal, badly 8
pas mal, not bad 4
de mal en pis, from bad to worse 16
le **mal**:
avoir mal à, have a pain in
faire mal à, hurt 5
le mal de l'air, air-sickness 17
le mal de mer, sea-sickness 17
malade, ill 17
le, la **malade**, patient
le **malentendu**, misunderstanding 19
malgré, in spite of 17
malheureusement, unfortunately 6
maman, mother, mum 40
la **Manche**, English Channel 13
le **mandat poste**, postal order 21
le **manège**, roundabout 14
***manger**, eat
manquer, be missing 28
le **manteau**, coat
le **manuel**, textbook 14
le **marchand**, trader
le marchand de ferraille, scrap metal dealer 1
la **marche**, step; march 32
marcher, go; work; march 23
le **mardi**, Tuesday
le **mari**, husband
marier, marry (=*officiate*) 28

se marier avec, marry 25
le **marin**, sailor 40
le **maritime**, sea-water area 12
la **marque**, make 24
marquer, mark, score
marron (*invar.*), brown
mars (m), March
le **match**, match
le **matelot**, (ordinary) seaman 41
matérialisé, posted (on a sign) 4
le **matériel**, material 24
le **matin**, morning
du matin, a.m.
matinal, morning (*adj.*) 34
la **matinée**, morning
mauvais, bad
maximal, maximum 13
la **mayonnaise**, mayonnaise
le **mécanicien**, mechanic 19
méchant, naughty 32; unfriendly 45
mécontent, displeased, annoyed 23
le **médecin**, doctor
le **médicament**, medicine 43
la **méfiance**, distrust 21
meilleur, best 16
se **mêler à**, get involved in
le **melon**, melon
le **membre**, member 43
même, even; same
***mener**, lead 8
la **mention**, mention 32
***mentir**, lie (=*tell lies*) 28
le **menton**, chin
le **menu**, menu
la **mer**, sea
merci, think you
le **mercredi**, Wednesday
la **mère**, mother
merveilleux, marvellous 13
la **messe**, mass (*church*) 16
messieurs-dames, ladies and gentlemen 7
par **mesure de**, for reasons of
mesurer, measure 13
la **météo**, weather forecast 24
le **mètre**, metre
le mètre à ruban, tape measure 13
le **Métro**, (Paris) Underground
***mettre**, put (on)
se mettre à, begin to 13
le **meuble**, piece of furniture
midi, noon
le **mien** (f: **la mienne**), mine 32
mieux, better 13
au **milieu de**, in the middle of
mille, thousand 5
le **millier**, about a thousand 34
le **million**, million 28
la **mine**, mine
minéral:
l'eau minérale, spa water 35
minuit, midnight
la **minute**, minute
le **miracle**, miracle 44
le **miroir**, mirror 7
la **mi-septembre**, middle of September 15
la **mobylette**, motorized bicycle 1
moche, bad, rotten 4
la **mode**, style 24
modéré, moderate 24
moderne, modern
modeste, modest 37
moindre, least, slightest 37
moins, less
au moins, at least
du moins, anyway, at least 5
moins de, less than
le **mois**, month
le **moisson**, harvest 42
la **moitié**, half 35
à moitié, half (*adj.*) 44
le **moment**, moment
le **monde**, world; people
tout le monde, everybody
mondial, world
la **monitrice**, instructress
la **monnaie**, change
monsieur (pl: **messieurs**) sir; Mr; gentleman
le **monstre**, monster
la **montagne**, mountain 42
les montagnes russes, roller coaster 17
le **montant**, sum 4
monter, go up; put up 19
monter à, get on
monter à bicyclette, cycle 18
monter dans, get in
la **montre**, watch
montrer, show 1
le **monument**, monument 37
le **morceau**, piece 25
morne, dismal, gloomy 30
morose, morose 30
mort, dead
le **mortier**, mortar 37
le **mot**, word
les mots croisés, crossword
le **motard**, motor-cycle policeman 36
le **moteur**, engine 1
la **moto(cyclette)**, motor cycle 1

mou (f: **molle**), soft 38
le **mouchoir**, handkerchief 44
la **mouette**, seagull 45
mouillé, wet 9
le **moulin à vent**, windmill 33
la **moustache**, moustache 35
la **moutarde**, mustard 11
le **mouton**, mutton, lamb 36
mouvant, moving 44
le **mouvement**, movement 17
le **moyen**, means 44
pas moyen de, there's no way of 44
municipal, municipal 22
munir de, provide with 29
le **mur**, wall 3
le **musée**, museum
musical, musical 23
le **music-hall**, variety theatre 31
le **musicien**, musician
la **musique**, music 23
la **myrtille**, bilberry

nager, swim 9
le **nageur**, swimmer 45
la **naissance**, birth 16
napoléonien, Napoleonic 37
la **nappe**, tablecloth 11
natal, where one was born 30
la **natation**, swimming 11
national, national
nature:
le café nature, black coffee 36
naturellement, naturally 13
nécessaire, necessary 1
négliger, neglect 37
la **neige**, snow 44
neiger, snow
le **nettoyage**, dry cleaning
nettoyer, clean (out) 3
neuf (f: **-ve**), (brand) new
le **neveu** (pl: **-x**), nephew 13
le **nez**, nose
le **nid**, nest 42
la **nièce**, niece 16
ni...ni ne..., neither...nor... 33
n'importe quel, any 33
les **noces** (f):
en premières noces, in his first marriage 36
la **Noël**, Christmas 4
le **nœud**, bow
la **noix**, nut
la noix de coco, coconut
le **nom**, name; noun 41
le **nombre**, number 21

nonchalamment, nonchalantly 17
non plus, neither; either
non-ruiné, not ruined 37
le **nord**, north 7
normal, normal
noter, note 19
nouer, tie 28
nouveau (f. **-elle**), new
à nouveau, once again 17
de nouveau, once again 28
les **nouvelles** (f), news 5
novembre (m), November
le **nuage**, cloud 17
nuageux, cloudy 9
la **nuit**, night
le **numéro**, number
numéro deux, second best 28

obéir à, obey 41
obèse, obese 35
l'**objet** (m), object
obligatoire, compulsory 4
l'**obstacle** (m), obstacle
obstinément, obstinately 12
l'**occasion** (f), bargain
occupé, occupied; busy
octobre (m), October
l'**odeur** (f), smell 23
l'**œil** (m) (pl: **yeux**), eye
officiel (f: **-lle**), official 28
l'**officier** (m), officer 41
***offrir**, offer
l'**oiseau** (m), bird 21
ombragé, shaded
omnibus:
le train omnibus, stopping train 30
l'**oncle** (m), uncle
l'**ondée** (f), heavy shower 24
l'**opéra** (m), opera 32
l'**opposé** (m), opposite 38
l'**or** (m), gold
en or, gold; golden
l'**orage** (m), storm
l'**orange** (f), orange
orange, orange
l'**orchestre** (m), orchestra; orchestra stalls (theatre) 32
ordinaire, regular (*petrol*)
l'**ordonnance** (f), prescription
l'**ordre** (m), order 34
mettre de l'ordre dans, tidy up 34
l'**oreille** (f), ear
l'**oreiller** (m), pillow 7
original, original 33

oser, dare 38
ôter, take off 28
oublier, forget
l'**ouest** (m), west 10
ouf! phew!
l'**ours** (m), bear 44
l'**ouvreuse** (f), attendant 29
l'**ouvrier** (m), worker 41
***ouvrir**, open

la **page**, page 13
le **pain**, bread; loaf
le pain au chocolat, chocolate roll
le pain grillé, toast
le gros pain, large loaf
la **paire**, pair
la **paix**, peace
le **panier, (shopping) basket 25**; pannier 18
en **panne**, broken down
le **pantalon**, (pair of) trousers
la **panthère**, panther 12
la **pantoufle**, slipper 14
papa, father, dad
le **papier**, paper 7
le papier d'emballage, wrapping paper 13
le papier hygiénique, lavatory paper 7
Pâques (f), Easter 24
le **paquet**, parcel
par, by; per
***paraître**, appear 5
le **parapluie**, umbrella 7
le **parasol**, sun umbrella 24
le **parc**, park 12
parce que, because
le **parcours**, stretch, length 33
le **pardessus**, overcoat 19
pardon, I'm sorry; I beg your pardon; excuse me
le **pare-brise**, windscreen 1
pareil (f: **-lle**), similar; same
les **parents** (m), parents
parfait, perfect 9
parfaitement, perfectly 13
parfois, occasionally 24
le **parfum**, perfume; flavour
la **parfumerie**, perfumery
parier, bet
le **parking**, car park
parler, talk
parmi, among 37
la **parole**, word 24
laisser la parole à, hand over to 24
la **part**, part:
à part, apart from 12
gentil de votre part, nice of you 34
participer, participate 15
particulier (f: **-ère**), special
la **partie**, part 2; trip 12; match 20
faire partie de, form part of 12
***partir**, leave; go off (*gun*)
à partir de, from ... on
partout, everywhere
le **pas**, pace; yard 44
le **passage clouté**, pedestrian crossing 4
le **passeport**, passport 26
passer, pass, go 4; spend (*time*) 10; go past 11; play (*record*) 7
se passer, happen 16
la **passerelle**, gangway 18
passionnément, passionately 9
se **passionner pour**, be very keen on
le **pâté, (meat) pâté 36**
les **pâtes** (f), pasta 35
patiemment, patiently 43
la **pâtisserie, (small) cake 35**
patriote, patriotic 28
le **patron**, boss 15
pauvre, poor 3
payant, charged for 4
***payer**, pay
le **pays**, country 11
les Pays-Bas, Netherlands 10
le Pays de Galles, Wales 10
le **paysage**, landscape 9
la **pêche**, peach; fishing 12; catch 12
pêcher, fish
***peindre**, paint 5
la **peine**, bother, trouble 12
à peine, scarcely 17
(ce n'est) pas la peine, don't bother 12
sous peine de, on pain of 45
la **peinture**, painting 1
la **pelle**, spade 45
la **pelouse**, lawn 3
le **penalty**, penalty (*football*) 36
se **pencher**, lean 40
pendant, during
la **pendule**, clock
penser (à), think (of)
je pense bien, I think so 12
la **pension**, boarding
le **percepteur**, (tax) collector 21
la **perche**, perch 12
perdre, lose
le **père**, father
le père aubergiste, youth hostel warden 18
périphérique, peripheral:
le boulevard périphérique, ring road 44

la **perle**, pearl 38
permanent, at all times 4
***permettre**, permit, allow 17
le **permis**, permit 12
le permis de conduire, driving licence 41
le **perroquet**, parrot 36
le **personnage**, character 16
la **personne**, person
personne...ne; ne...personne, nobody
persuader, persuade 32
pertinent, pertinent, appropriate 41
la **pervenche** (*slang*), woman traffic warden 4
peser, weigh 13
petit, little
les petits-enfants (m), grandchildren
le **pétrole**, oil 33
peu, shortly; not very 17
peu à peu, gradually 40
peu de, little, few 1
peu en vue, inconspicuous 23
un peu, a bit
la **peur**, fear 12
avoir peur de, be afraid of 12
peut-être, perhaps
le **phare**, lighthouse 33; headlamp 39
la **pharmacie**, chemist's
le **pharmacien**, chemist 30
la **photo(graphie)**, photo 7
la **phrase**, sentence
le **piano**, piano 15
le **pichet**, small jug 36
la **pièce**, room; coin; play (*in theatre*) 32
la pièce, apiece 24
la pièce d'identité, form of identification 26
les pièces détachées (f), spares 31
le **pied**, foot
à pied, on foot
la **pierre**, stone 37
le **piéton**, pedestrian 18
piger:
ne piger que dalle à (*slang*), not to understand a word of 32
la **pilule**, pill 5
le **pin**, pine 9
le **pipe-line**, pipeline 37
le **pique-nique**, picnic
pire, worse 10
la **piscine**, swimming pool 10
la **pistache**, pistachio
le **placard** (built-in), cupboard 7
la **place**, place; room; square
la place d'honneur, place of honour 23
***placer**, place, put in 29
le **plafond**, ceiling 7
la **plage**, beach
*se **plaindre**, complain 23
***plaire à**, please 25
le **plaisir**, pleasure 2
attendre avec plaisir, look forward to 20
le **plan**:
le premier plan, foreground 7
le **plancher**, floor 7
la **plaque d'immatriculation**, (car) number plate 39
plastique, plastic 25
le **plat**, dish
le plat garni, meat (*etc.*) with potatoes
le **plateau**, tray 11
le plateau de fromages, cheese board 11
la **plate-bande**, flower bed 3
Plaute, Plautus 37
plein, full
faites le plein, fill it up (*car*)
***pleuvoir**, rain
plier, fold 45
le **plombier**, plumber 10
la **pluie**, rain 9
plus, more
au plus, at the most 13
de plus en plus, more and more 30
en plus, another thing; moreover 16
le plus, the most
ne...plus, no more
non plus, either; neither
plus loin, further
plus...que, more than
plusieurs, several
plutôt, more (like); rather
pluvieux, rainy 24
le **pneu**, tyre
la **poche**, pocket
le **poème**, poem 16
le **poids**, weight 13
le poids lourd, (heavy) lorry
la **poignée**, handle 5
le **poignet**, wrist 5
le **point**, point 33
le point de vue, viewpoint 33
la **pointure**, size (*shoes*, *gloves etc.*) 13
la **poire**, pear
pois:
les petits pois (m), peas 35
le **poisson**, fish 2
le poisson rouge, goldfish 2
la **poitrine**, chest; streaky bacon 22
le **poivre**, pepper
poli, polite 40
la **police**, police 5

la police judiciaire = Scotland Yard 28
poliment, politely 29
la **politique**, politics 30
la **Pologne**, Poland 10
la **pomme**, apple
la pomme de terre, potato
les pommes frites, chips
la **pompe**, pump
les **pompes funèbres** (f), undertaker's 27
le **pompiste**, petrol pump attendant 8
le **poney**, pony
le **pont**, bridge 18
pop, pop 5
le **porc**, pork
le **port de plaisance**, (yacht) marina 4
la **porte**, door
le **portefeuille**, wallet 7
le **porte-monnaie**, purse 12
porter, wear; carry
le **porteur**, porter 33
la **portière**, door (*of car*)
le **portrait**, portrait 28
le **Portugal**, Portugal 10
la **pose**, fitting 31
poser, put down; put; ask 1
***posséder**, possess; own
possible, possible
la **possibilité**, possibility 19
postal, postal 13
la **poste**, post 16
le **poste**, station 11
le poste de police, police station 22
le poste de secours, rescue station 11
le poste d'incendie, fire station 22
le **poster**, poster 8
se **poster**, go and stand 12
le **pot**, pot
le **potage**, soup
la **poubelle**, rubbish bin 7
la **poule**, hen 17
le **poulet**, chicken
pour, for; ...'s worth; in order to
pour que, so that 2
le **pourboire**, tip 10
pourquoi, why
***poursuivre**, go on 13
pourtant, however 35
pourvu que, provided that; just so long as 43
pousser, push, poke 7; grow 42
***pouvoir**, can, be able to
praliné, praline
pratique, practical, sensible 31
la **précaution**, care
se **précipiter**, rush 17
précis, exactly 2
prédominant, predominant 24
préfectoral, prefectoral 45
***préférer**, prefer
préféré, favourite 2
premier (f: **-ère**), first
***prendre**, take
prendre le large, take to the open sea 17
le **prénom**, Christian name
préparer, prepare, make
le **préposé**, (minor) official 29
près de, near
la **présence**, presence 17
présenter, introduce 8
préserver, preserve 33
le **président**, president 4
presque, nearly
prêter, lend 28
prévenir, warn 6
prévoir, forecast 24
prière de..., please... 45
les **primeurs** (f), (spring) vegetables 14
principal, principal
le **principe**, principle
le **printemps**, spring
la **priorité**, priority (*at road junction*)
la **prise**, (electric) plug 14
privé, private 9
le **prix**, price
à prix fixe, fixed-price
le **problème**, problem 5
prochain, next
proche, near
***produire**, produce 36
le **professeur**, teacher
profiter, profit; take advantage
profond, deep 12
le **programme**, programme 32
le **projecteur (de diapositives)**, (slide) projector 14
projeter, project 14
la **promenade**, walk 2
*se **promener**, walk
la **promesse**, promise 9
***promettre**, promise 9
en **promotion**, special offer
proposer, propose 2
propre, own 10; clean 34
la **propreté** cleanliness 34
le **propriétaire**, owner 28
protecteur (f: **-trice**), protective 38
***protéger**, protect 25
provençal, Provençal 37
la **province**, province(s) 17

les **provisions** (f), provisions 36
prudent, careful 24
la **prune**, plum 26
les **PTT**, post-office 13
pu → pouvoir
j'ai pu, I could 4
public (f: **-que**), public 22
en public, in public 28
la **publicité**, (cinema) advertisements 29
la **puce**, flea 30
le marché aux puces, flea-market 30
puer, smell 44
puis, then
puisque, since 32
le **puits**, well 33
le **pull**, pullover
pur, pure 22
le **pyjama**, (pair of) pyjamas

le **quai**, platform; quay 18
quand, when
quand même, all the same
quant à, as for 9
la **quantité**, quantity
la **quarantaine**, about forty 33
le **quart**, quarter
le quart d'heure, quarter of an hour
le **quartier**, quarter (*of town*) 8
le quartier Latin, Latin (=student) quarter (*of Paris*) 30
que, what?; that
c'est que, the fact is that 5
ne...que, only
plus...que, more than
que de, what a lot of
qu'est-ce que, what? (*object*)
qu'est-ce qui, what? (*subject*)
quel (f: **-lle**), what
de quelle couleur, what colour?
quelque chose, something
quelquefois, sometimes
quelque part, somewhere
quelques, a few
quelqu'un, someone 23
la **question**, question
la **queue**, tail; queue
faire la queue, queue up
qui, who?; who, which
à qui, whose (is)?
la **quinzaine**, fortnight 33
quitter, leave; ring off (*phone*)
quoi, what
pour quoi faire, what for?
quoi encore, what else?

racheter, buy back 1
raconter, tell
la **radio**, radio
le **raisin**, grape(s); raisin
la **raison**, reason
avoir raison, be right
raisonnable, reasonable 34
ralentir, slow down 30
ramasser, pick up 44
ramener, bring in 12
la **randonnée**, excursion, ride
le **rang**, rank 23; row 32
la **rangée**, range, row 37
le **rapide**, express (train) 33
rapidement, rapidly
*se **rappeler**, remember 2
rapporter, bring back 21
la **raquette**, racquet 20
rare, rare
se **raser**, shave 7
le **rasoir**, razor
rassembler, assemble 23
rassurer, reassure 45
ravissant, ravishing, delightful 9
rayé, striped 28
le **rayon**, shelf 7
la **réaction**, reaction 1
la **récapitulation**, recapitulation
récapituler, recapitulate, go over again 1
***recevoir**, receive
la **réclamation**, complaint 16
recommander, recommend 34
la **récompense**, reward 23
***reconnaître**, recognize 1
le **recteur**, vice-chancellor (*of university*) 43
réduit, reduced 1
réfléchir, consider 14
refroidi, (gone) cold 4
regagner, regain, reach 17
regarder, look at
le **régime**, diet 35
au régime, on a diet 35
la **région**, region 24
régional, regional 24
la **règle**, ruler 14
le **réglement**, settlement, payment 4
la **réglementation**, regulation(s) 11
réglementer, control 4
regretter, be sorry
***rejeter**, reject 17
***rejoindre**, join 25
relâche, no performance (*theatre*) 31
relativement, relatively 44

se **relaxer**, relax 24
remarquer, notice
rembourser, pay back
remercier (de), thank (for) 5
***remettre**, put back (on)
le **rempart**, rampart
remplacer, replace 17
remplir, fill up
la **rencontre**, meeting:
à votre rencontre, to meet you 43
rencontrer, meet
le **rendez-vous**, rendezvous, date
rendre, give back 22
rendre visite à, visit 10
se **renforcer**, grow stronger 24
renoncer à, give up 35
la **rentrée**, (day of) return (to school) 9
rentrer, go back (home)
renverser, knock over 5
la **réparation**, repair 10
***repartir**, leave again 18
le **repas**, meal 3
répliquer, reply 40
répondre, answer
la **réponse**, answer 1
se **reposer**, rest 3
la **représentation**, show 22
représenter, represent 37
la **reproche**, reproach 16
la **république**, republic 28
la **réputation**, reputation 23
la **réservation**, reservation 34
la **réserve**, reserve, stock 36
réserver, reserve
le **réservoir**, tank
résigné, resigned 40
résister, resist 24
résonner, resound 23
ressembler à, resemble, look like 36
le **restaurant**, restaurant
le **reste**, rest 26
rester, stay
le **retard**, lateness
avoir du retard, be late 6
en retard, late 28
retirer, pull out
retomber, fall back, subside 17
le **retour**, return 21
retourner, return
se retourner, turn round
le **retrait**, removal 29
la **retraite**, tattoo, procession 23
retraité, retired
le **retraité**, pensioner
le **rétroprojecteur**, overhead projector 14
retrouver, find (again) 5
réussir, succeed 24
le **réveil**, reveille 23:
le réveil musical, *name of a brass band* 23
se **réveiller**, wake up 44
***revenir**, come back
le **revenu**, income 25
rêver, dream 9
le **réverbère**, street lamp 18
***revoir**, see again
au revoir, good-bye
le **revolver**, revolver
la **revue**, magazine 2
le **rez-de-chaussée**, ground floor 3
le **rhum**, rum
riche, rich 8
le **rideau**, curtain 7
ridicule, ridiculous
rien...ne; ne...rien, nothing
ça ne fait rien, that doesn't matter
rigoler, laugh 4
***rire**, laugh
le **rire**, laugh 2
le **riverain**, resident, owner of property adjacent to road 45
la **rivière**, river 9
le **riz**, rice 35
la **robe**, dress
la robe de chambre, dressing gown
le **robinet**, tap; nozzle
le **rocher**, rock 45
le **rognon**, kidney
romain, Roman 37
le **Romain**, Roman 36
le **roman**, novel 15
ronfler, snore 2
le **rosbif**, roast beef 36
rose, pink
la **rose**, rose 21
rôti, roast
la **roue**, wheel 16
la roue de secours, spare wheel 39
rouge, red
la **roulade**, roll, rolled up piece 36
le **rouleau**, roll 13
rouler, travel, go 1
la **route**, road
routier, road 37
la gare routière, bus, coach station
la **rue**, road, street
le **rugby**, rugby 21
la **ruine**, ruin 33
ruiné, ruined 37

le **ruisseau**, stream 42
le **rythme**, rhythm, beat 23

le **sable**, sand 45
le **sac**, bag
le sac à main, handbag 4
le sac (de) couchage, sleeping bag 27
la **saccharine**, saccharin 33
sacré, damn 4
sain et sauf, safe and sound 19
le **saint**, saint 41
la **saison**, season 9
saisonnier, seasonal 42
sale, dirty
la **salade**, (green) salad 35
le **salaire**, wages 41
le **salaud**, swine 16
salé, salt (*adj.*) 45
la **salle**, hall; room
la salle d'attente, waiting room 17
la salle de bain(s), bathroom
la salle de classe, classroom
la salle des professeurs, staffroom 43
saluer, greet, say hello to 19
la **salutation**, greeting 6
le **samedi**, Saturday
la **sandale**, sandal
le **sandwich**, sandwich
le **sang-froid**, sang-froid, coolness 23
le **sanitaire**, bathroom equipment
sans, without
sans doute, no doubt
la **santé**, health 24
les **sapeurs-pompiers** (m), fire-brigade 11
la **sardine**, sardine 28
la **sauce**, sauce 35
la **saucisse**, sausage
le **saucisson**, (ready-cooked) sausage 22
sauf, except (for) 2
le **saumon**, salmon 12
sauter, jump 12
sauvage, wild 37
le **sauvage**, savage 16
***savoir**, know
le **savon**, soap
la **scène**, scene 9; stage 32
la **science-fiction**, science fiction 33
la **séance**, performance 29
le **seau**, bucket 45
sec (f: **sèche**), dry 22
le, la **secrétaire**, secretary 4
le **secteur**, sector 24
la **sécurité**, safety 39
le **sein**, breast
le **séjour**, living room
le **sel**, salt 11
le **self(-service)**, self-service restaurant
selon, according to 23
la **semaine** week
***semer**, sow 42
Sénèque, Seneca 37
le **sens**, sense
à sens unique, one-way
sensiblement, perceptibly 24
le **sentier**, path 33
se **sentir**, feel 15
le **sentiment**, sentiment 6
septembre (m), September
sérieux, sound, reliable 34
le **service**, service
la **serviette**, towel; briefcase 4;
table napkin 11
servir, serve 11
se servir de, use 7
seul, only; alone
un seul, just one
seulement, only
shooter, shoot (*football*) 36
si, yes of course; if; so
s'il vous plaît, please
si...que, so...as
le **siècle**, century 37
le **siège**, seat
le **signal** (pl: **-aux**), sign, signal 11
signaler, point out 6
le **signe**, sign 33
signer, sign 26
le **silence**, silence 3
simple, single; simple
le **singe**, monkey 12
sinon, if not 44
la **situation**, situation, job 24
la **sixième**, first form (*in secondary school*) 34
le **ski**, skiing 15
le **slip**, (pair of) pants; (pair of) swimming trunks
la **SNCF**, French Railways
snob (*invar.*), smart 33
la **société**, society 38
la **sœur**, sister
soi-disant, so-called 16
le **soif**, thirst
avoir soif, be thirsty
soigner, look after 1
le **soin**, care 45
avec soin, carefully 45
le **soir**, evening
la **soixantaine**, about sixty 33

le **soldat**, soldier 30
en **solde**, reduced
le **soleil**, sun
solennel (f: **-lle**), solemn 23
sombre, dark 14
sombrer, sink 17
somptueux (f: **-se**), sumptuous
le **son**, sound 33
sonner, ring 13
la **sorte**, sort 16
la **sortie**, exit 29
***sortir**, leave; come out; go out; take out 3
soucieux, concerned 45
soucieusement, anxiously 44
la **soucoupe**, saucer 7
soudain, suddenly
le **souffle**, breath 37
couper le souffle, take one's breath away 37
***souffrir**, suffer
souhaiter, wish (for) 16
soulagé, relieved 19
la **source**, source 37
***sourire**, smile
le **sourire**, smile 37
sous, under
le **sous-sol**, basement 3
sous-titré, subtitled 33
les **sous-vêtements** (m), underwear 22
le **souterrain**, subway 33
se **souvenir de**, remember 28
souvent, often
spacieux (f: **-se**), spacious
les **spaghettis** (m), spaghetti 10
le **spécialiste (de)**, specialist (in) 42
le **spectacle**, show 23
le **spectateur** (f: **-trice**), spectator 36
le **sport**, sport 21
le **square**, square 21
stable, stable, steady 32
le **stade**, stadium 22
le **stage**, course (of instruction)
la **station**, station (on Underground)
le **stationnement**, parking
stationner, park
le **steack**, steak
le steack tartare, raw minced steak
le, la **sténodactylo**, shorthand-typist 5
le **strapontin**, gangway seat (*in French theatre*) 32
stupide, stupid
le **style**, style 14
le **stylo (à bille)**, (ballpoint) pen
le **sucre**, sugar
sucré, sweet(ened) 35
le **sud**, south 10
***suggérer**, suggest 1
la **suggestion**, suggestion 1
la **Suisse**, Switzerland 8
suite à, in reply to 6
***suivre**, follow
le **sujet**, subject 1
au sujet de, about 1
super, super 4
le **super**, super (*petrol*)
superbe, superb
le **supermarché**, supermarket
le **supplément**, supplement 36
supplier, beg, plead with 40
le **support**, support 37
supporter, support 37
sur, on
sûr, sure
bien sûr, of course
sûrement, certainly
surgelé, (deep) frozen 12
surpris, surprised
la **surprise**, surprise 4
en **sursaut**, with a jump 1
surtout, above all 13
la **surveillance**, supervision 11
surveiller, keep an eye on
survivre, live on 37
le **suspect**, suspect 28
le **symbole**, symbol 28
sympathique, nice, pleasant
le **syndicat d'initiative**, tourist office 34

le **tabac**, tobacconist's
la **table**, table
la table de nuit, bedside table
la table de toilette, dressing table 7
le **tableau**, picture 14
le tableau noir, blackboard 14
la **tache**, stain
le **tact**, tact 17
la **taille**, height 13; size 13; waist 13
*se **taire**, be quiet 4
le **talent**, talent 15
tant de, so much, so many 9
la **tante**, aunt
le **tapis**, cloth; cover; carpet
tard, late
le **tarif**, tariff, fare
la **tasse**, cup
le **taureau**, bull 11
la **taxe**, tax 6
le **taxi**, taxi
le **taxiphone**, callbox
le **tee shirt**, T-shirt 22

le **trou**, hole 44
trouver, find; consider, think...is
se trouver, be; be situated; stand; consider oneself 35
le truc, thingy, thingummy
la **truite**, trout 12
le **tube**, tube
tuer, kill 21
le **type**, type 8
typique, typical 9

l'**uniforme** (m), uniform 23
unique, only 2
l'**université** (f), university 15
l'**usager** (m), user 4
usé, worn out, threadbare 40
l'**usine** (f), factory
utile, useful
utiliser, use 4

les **vacances** (f), holidays
la **vache**, cow 11
vague, vacant, waste 17; vague, uncertain 44
la **vague**, wave 45
la **vaisselle**, dishes, washing-up
valable, valid 24
la **valeur**, value
de valeur, valuable
la **vallée**, valley 37
***valoir**, be worth, be charged at 6
la **vanille**, vanilla
la **vapeur**, steam
les pommes vapeur, boiled potatoes
variable, variable 24
varié, various 36
Varsovie (f), Warsaw 10
vaste, vast
le **veau**, veal
la **vedette**, star 5
végétal, vegetable 37
le **véhicule**, vehicle 45
le **vélo**, bike 18
le **vendeur** (f: **-se**), salesman
vendre, sell
le **vendredi**, Friday
vénérable, venerable 37
***venir**, come
venir de, have just 16
le **vent**, wind
la **vente**, sale 38
le **ventilateur**, ventilator 41
le **ventre**, stomach
le **verbe**, verb 31
vérifier, check
véritable, real 9
la **vérité**, truth 7
le **verre**, glass
vers, towards
verser, pour
la **version**, version 33
le **verso**, back, other side 4
vert, green
la **vertue**, virtue 41
la **veste**, jacket
le **vestiaire**, cloakroom 32
le **vestibule**, hall (*in house*, *flat*)
les **vêtements** (m), clothes 7
le, la **vétérinaire**, vet
la **veuve** (m: **veuf**), widow 27
la **viande**, meat
la **victime**, victim 12
vide, empty
vider, empty 7
la **vie**, life
Vienne (f), Vienna 10; Vienne 10
vieux (f: **vieille**), old
la **villa**, villa, detached house 9
le **village**, village 33
la **ville**, town
le **vin**, wine
le vin ordinaire, table wine
la **vingtaine**, score, about twenty 33
le **violon**, violin 43
le **visage**, face 26
la **visite**, visit 20
visiter, visit (*of doctor*); visit (*a place*) 30
le **visiteur**, visitor 41
vite, quickly
la **vitesse**, speed 30
à toute vitesse, at full speed 30
la **vitrine**, shop window
***vivre**, live 30
le **vœu** (pl: **-x**), wish 16
voici, here is, here are 1
la **voie**, traffic lane 4
la voie ferrée, railway 33
voilà, there is, there are; there you are
la **voile**, sailing 36
***voir**, see
voisin, neighbouring, next-door 9
le **voisin**, neighbour 23
la **voiture**, car; railway coach
la voiture d'enfant, pram 18
la **voix**, voice 3
le **vol**, flight 17
la **volaille**, poultry 14
le **volant**, steering wheel 5
voler, steal 38; fly 42

le **volet**, shutter 3
le **volley-ball**, volley ball
volontiers, gladly 2
vomir, be sick 5
***vouloir**, wish; like
veuillez..., kindly...
je veux bien, I will
vouloir dire, want to say, mean
le **voyage**, journey; trip 1
voyager, travel
le **voyageur** (f: **-se**), traveller
le **voyant**, aperture, window 29
vrai, true
vraiment, really
la **vue**, view; sight

le **wagon**, railway carriage 30
le wagon-restaurant, dining-car 23
le **WC**, lavatory 7
le **week-end**, weekend
le **whisky**, whisky 30

y, there
il y a, there is, there are; ago
qu'est-ce qu'il y a? what's the matter?
le **yacht**, yacht 25

la **zone**, zone 4
le **zoo**, zoo 12
zut! oh blow!

English–French Vocabulary

Contains only the vocabulary necessary for the pros
passages in the revision units.

above all, surtout
accident, l'accident (m)
address, l'adresse (f)
advise, conseiller (à quelqu'un de faire quelque chose)
after, après
ago, il y a
all (*pron.*), tous
allow, permettre (à quelqu'un de faire quelque chose)
almost, presque
already, déjà
although, bien que
amphitheatre, l'amphithéâtre (m)
ankle, la cheville
annoyed, fâché
anywhere:
  not . . . anywhere, ne . . . nulle part
approach, s'approcher de
arm, le bras
around, autour de
arrive, arriver
as, comme
  as . . . as, aussi . . . que
ask, demander

back (*adj.*), de derrière
bar, le bar
beast, la bête
beautiful, beau
before, avant
begin to, commencer à
behind, derrière
blue, bleu
boat, le bateau
borrow, emprunter
boss, le patron
both, tous les deux
brains, le cerveau
brandy, le cognac
break, casser
breakfast, le petit déjeuner
bridge, le pont
broken down, en panne
brother, le frère
building, le bâtiment
bullfight, la course de taureaux
buy (from), acheter (à)
by, par

café, le café
calm, calme
can, pouvoir
camping, le camping
camp site, le camping
car, la voiture
carefully, avec soin
carry, porter
century, le siècle
certainly, certainement
chair, la chaise
Christian, le chrétien
clear off, s'en aller
climate, le climat
cold:
  be cold, avoir froid
colour, la couleur
coffee, le café
coffee pot, la cafetière
come (on), venir
  come back, revenir
  come back into, rentrer dans
  come home, rentrer
  come in, entrer
completely, complètement
construct, construire
corner, le coin
course:
  of course, bien sûr
cow, la vache
cross, traverser
cry, crier; appeler
cup, la tasse
customs, la douane
cycling, le cyclisme

dark, foncé
day, le jour
desk, le bureau
diet, le régime
do, faire
door, la porte
Dover, Douvres
draining board, l'égouttoir (m)
dustbin, la poubelle

eat, manger
eight o'clock, huit heures
end, la fin
England, l'Angleterre (f)
enter, entrer dans
entirely, entièrement
er, euh
everybody, tout le monde
everywhere, partout
exactly, exactement
example:
  for example, par exemple
extraordinarily, extraordinairement

favourable, favorable
feel, se sentir
few:
  a few, quelques
fight, se battre
file, le classeur
find, trouver
fine, beau
fire, le feu
foot:
  on foot, à pied
forget, oublier
friend, l'ami (m)
front:
  in front of, devant

gangway, la passerelle
garage, le garage
get off, descendre
give up, renoncer à
glow, la lueur
go, aller
  go into, entrer dans
  go off (*gun*), partir
  go out, sortir
  go up, monter
  go up to, s'approcher de
goodbye, au revoir
gradually, peu à peu
great, (*adj.*) grand; (*interjection*) chouette!
grocer's, l'épicerie (f)
ground, la terre

hand, la main
happen, arriver
happy, heureux
have (*meal*), prendre
  have to, devoir
hello, allô
here, ici
  here is, voici
holidays, les vacances
hope, espérer
hospital, l'hôpital (m)
hour, l'heure (f)
house, la maison
hundred:
  about a hundred, une centaine de
husband, le mari
hut, la hutte

idiot, l'imbécile (m)
if, si
ill, malade
imagine, se figurer
immediately, immédiatement
important, important
imposing, imposant
in, dans; en

joking:
  be joking, blaguer
June, juin (m)
just:
  have just, venir de
  just so long as, pourvu que

kilo, le kilo
know, savoir; connaître

large, grand
last, (*verb*) durer; (*adj.*) dernier
  at last, enfin
  last night, hier soir
late, tard
  later, plus tard
leave, laisser; partir; quitter
leg, la jambe
like, aimer
little, peu de
live, demeurer
lock, la serrure

look:
look at, regarder
look for, chercher
lunch, le déjeuner

madam, madame
make, faire
many, beaucoup de
mayor, le maire
might, pouvoir
minute, la minute
mistake, l'erreur (f)
make a mistake, se tromper
modern, moderne
money, l'argent (m)
month, le mois
monument, le monument
more:
not any more, ne...plus
morning, le matin
good morning, bonjour
mortar, le mortier
most, le plus
motorbike, la moto
must, il faut
myself, moi-même

name:
my name is, je m'appelle
near, près de
need, avoir besoin de
never, ne...jamais
new, nouveau (f: -elle)
newspaper, le journal
next, prochain
next to, à côté de
nice, joli
night, la nuit
nonchalantly, nonchalamment
noon, midi
no-one, ne...personne
nothing, ne...rien
now, maintenant

obviously, évidemment
office, le bureau
often, souvent
one:
one of them, l'un d'eux
the one, celui
open, ouvrir
other, autre
out (*fire*), éteint
outside, dehors

paper, le journal
parking ticket, la contravention
give a parking ticket, dresser une contravention
pass, passer
perhaps, peut-être
pity:
a pity, dommage
place, la place
play, jouer
policeman, le policier
politely, poliment
possible, possible
post, la poste
pour, verser
prefer, préférer
preserve, préserver
provisions, les provisions (f)
pull, tirer
put, mettre; poser

quarter of an hour, le quart d'heure
quay, le quai
quickly, vite
quite, bien

rain, pleuvoir
raincoat, l'imperméable (m)
read, lire
ready, prêt
really, vraiment
recognise, reconnaître
red, rouge
relieved, soulagé
remember, se souvenir de
replace (*phone*), raccrocher
reply, répondre
restaurant, le restaurant
revolver, le revolver
road, la route
room, la pièce
Roman, romain
rugby, le rugby

safe, le coffre-fort
same, même
say, dire
seasickness, le mal de mer
seat, la place
see, voir
send, envoyer
shoot, faire de la chasse
shop, le magasin

shout, crier
show, montrer
since, depuis
sit down, s'asseoir
sleep, dormir
slowly, lentement
so, alors
someone, quelqu'un
something, quelque chose
sorry:
  be sorry, regretter
Spain, l'Espagne (f)
spend (time), passer (du temps) (à)
sport, le sport
square, carré
stand, se tenir
  stand up, se lever
station, la gare
stay, rester
steal (from), voler (à)
stop, s'arrêter
street, la rue
suddenly, soudain
suffer, souffrir
suitcase, la valise
summer:
  in summer, en été
sunburnt, bronzé
swallow, avaler

table, la table
take, prendre
  take out, sortir
talk, parler
team, l'équipe (f)
telephone, le téléphone
television, la télévision
tell, dire
tennis, le tennis
tent, la tente
terribly, terriblement
that (*pronoun*), cela
  that is, voilà
  that's to say, c'est-à-dire
then, puis
there, là
  there is, there are, voilà ; il y a
thing, la chose
this one, celui-ci
thousand, mille (*pl:* mille)
time, le temps
  this time, cette fois-ci
too, aussi ; trop
torch, la lampe de poche
towards, vers
town, la ville
train, le train

umbrella, le parapluie
under, sous
  from under, de dessous
undoubtedly, sans doute
unfortunately, malheureusement

vague, vague
very, très ; beaucoup
visit, visiter

wait, attendre
want, vouloir
warden, la pervenche
watch, regarder
way:
  on the way to, en route pour
week, la semaine
well, bien ; eh bien
what, ce qui ; ce que
wheel:
  steering wheel, le volant
when, quand
where, où
which one, lequel
whose, dont
wife, la femme
wild, sauvage
window, la fenêtre
winter:
  in winter, en hiver
with, avec
without, sans
wood, le bois

year, l'année (f) ; l'an (m)
yesterday, hier
young, jeune
yours, le vôtre

Grammar index

Page numbers in italics refer to the summary of grammar of book one.